Collection
Jeunesse/Romans
dirigée par
Raymond Plante

ON NE
SE LAISSE
PLUS FAIRE

**Données de catalogage avant publication
(Canada)**

Brochu, Yvon

   On ne se laisse plus faire

   (Collection Jeunesse/romans).
   Pour les jeunes.

   ISBN 2-89037-437-8

   I. Titre. II. Collection.

PS8553.R62057 1989 jC843'.54 C89-096081-X
PS9553.R62057 1989
PZ23.B76On 1989

Ce livre a été produit avec un ordinateur
Macintosh de Apple Computer Inc.

DÉPÔT LÉGAL:
1er TRIMESTRE 1989
BIBLIOTHÈQUE NATIONALE DU QUÉBEC
ISBN: 2-89037-437-8

Montage
Andréa Joseph

YVON BROCHU

ON NE SE LAISSE PLUS FAIRE

ROMAN

ÉDITIONS QUÉBEC/AMÉRIQUE

425, rue Saint-Jean-Baptiste, Montréal, Québec H2Y 2Z7 (514) 393-1450

À Danielle

1

Les retrouvailles

Il est 18 h 30. Il fait gris, humide. Une légère bruine tombe sur la ville quasi déserte. Pourtant, il y a attroupement et brouhaha devant la maison d'édition DU PARAPLUIE, célèbre par ses bandes dessinées, particulièrement de science-fiction.

Micro, caméra en bandoulière, tous ces gens, massés devant l'escalier des éditions DU PARAPLUIE, attendent, tout comme moi, depuis plus d'une heure, la sortie de John Ludvic, connu mondialement sous son nom de plume, Zappi. Il est l'auteur et l'illustrateur d'une BD à succès intitulée *À la recherche de la terre perdue*, dont le principal héros se nomme Bénouk.

Mais moi, je connais mieux Zappi sous son vrai nom: John Ludvic. Nous jouions ensemble dans la ligue de hockey collégiale, il y a bien longtemps! Il doit lui aussi approcher de la quarantaine. John gardait les buts et moi j'étais, en toute modestie, le meilleur compteur de la ligue. John n'avait pas l'étoffe d'un champion. Pourtant, il est devenu célèbre tandis que moi je ne suis qu'un simple journaliste.

Mais aujourd'hui, je compte bien me hisser au rang des célébrités journalistiques: ZAPPI, John Ludvic, le célèbre bédéiste, selon une rumeur, aurait décidé de cesser de publier *À la recherche de la terre perdue*, alors que sa BD se vend à des milliers d'exemplaires. Personne ne connaît encore les raisons de cette décision inattendue, inexplicable! Mais je crois pouvoir obtenir cette information que John Ludvic n'entend pas divulguer à la presse. Comment pourra-t-il refuser de rencontrer un ex-équipier de la ligue de hockey collégiale? Voilà ce que je me dis, sautillant sur place pour me réchauffer par ce temps de chien et ce vent d'automne qui me transperce jusqu'à l'os.

– Zappi!... Zappi!...

– Pour notre journal...

– Allez-vous continuer *À la recherche de la terre perdue?*

Zappi vient d'apparaître. C'est la bousculade. Le fouillis. Les micros tendus. Les caméras élevées au-dessus des têtes. Zappi est encerclé, traqué par mes collègues journalistes.

– Je n'ai rien à déclarer sinon que je cesse d'écrire et d'illustrer *À la recherche de la terre perdue.*

L'illustre bédéiste fonce vers sa voiture.

– Pourquoi?

– Allez-vous chez un autre éditeur? Un concurrent?

– Vous n'aviez pas un contrat pour trois autres albums avec l'éditeur?

Zappi reste muet comme une carpe et continue à se frayer un chemin à travers mes collègues de la télévision, de la radio et de la presse écrite; ceux-ci ne lâchent pas aussi facilement leur proie.

– Vous laissez tomber comme ça les milliers de jeunes qui adorent Bénouk, Cirandella, Mercuron et les autres?

– Dites-nous au moins un mot?

Zappi s'arrête.

– NON! lance-t-il, tout souriant.

Zappi n'a pas la tête du condamné à mort. Il a un petit air ironique. Euphorique même.

Ce n'est pas le cas de mes collègues.

– On vous a attendu plus d'une heure!

– Ouais! Et sous la pluie!

– Des parapluies, ça existe! leur dit-il.

De toute évidence, Zappi s'amuse. Il semble subitement davantage intéressé par l'humour que par la science-fiction. Il est maintenant à deux pas de son automobile: une flamboyante *Camaro* rouge écarlate comme le teint de mes collègues...

– Pourquoi ne voulez-vous pas parler?

– Ouais? Pourquoi?

– Depuis le temps, vous devriez savoir que j'aime le... «mystère»!

Et alors que Zappi ouvre sa portière:

– Monsieur Hébert? Monsieur Hébert?

Un des journalistes court à toutes jambes vers l'arrière de la maison d'édition; il est le seul à avoir aperçu le directeur des éditions DU PARAPLUIE se faufiler par une ruelle entre la maison d'édition et le petit restaurant italien qui la voisine. Et en moins de deux, convaincue que John Ludvic ne lui en dirait pas davantage, la troupe se lance à l'assaut de monsieur Hébert en espérant obtenir enfin quelques déclarations intéressantes.

SAUF MOI!

Dès les premières répliques de John, j'avais vite compris qu'il ne céderait pas à la pression exercée par les journalistes. Aussi, j'avais regagné ma *Toyota* blanche. J'étais prêt à le suivre.

Mes collègues auraient peut-être la version du directeur mais moi, j'aurais CELLE DE ZAPPI... EN EXCLUSIVITÉ! J'étais décidé et fin prêt à tenter le tout pour le tout.

Je suis donc John Ludvic jusque chez lui. Discrètement, il va sans dire. Il habite un vieil immeuble rénové dans le centre-ville.

– OÙ ALLEZ-VOUS, MONSIEUR?

Je sursaute. Une main s'est posée pesamment sur mon épaule. La voix de l'individu est aussi menaçante que l'homme derrière moi; le gardien de l'immeuble, le genre lutteur retraité faisant dans les 110 kg ou 115 kg.

– Euh...

Jusque-là, j'avais pris un malin plaisir à jouer au détective: d'abord en suivant John à distance, puis en courant à toute allure pour empêcher la porte d'entrée de l'immeuble de se refermer et de se verrouiller derrière lui. Ainsi, sans utiliser la sonnerie, j'avais pu m'introduire dans l'immeuble. Mais là, le faux détective que je suis doit penser vite. Sauf que je n'arrive qu'à dire: «Euh... euh...»

– Vous êtes journaliste?

– MOI?... dis-je, stupéfait, fixant le regard peu jovial du gardien.

Un éclair de génie me traverse alors l'esprit: «Avec un mastodonte, autant jouer gros...» Et je réponds:

– Non.

Et sortant de mon portefeuille la carte de membre de mon club de tennis, j'ajoute, baissant la voix:

– FBI!

L'effet est instantané.

– Faudrait pas me prendre pour le dernier des raisins!

Mon chat est mort.

– QU'EST-CE QUE VOUS VOU-LEZ?

Je redeviens simple mortel.

– ... Euh... bien... rencontrer John Ludvic. C'est... c'est un ami et...

– Le 550! En sortant de l'ascenseur, tournez à gauche. La troisième porte.

Je n'en reviens pas.

Et le mastodonte d'ajouter, avant de disparaître:

– Le jour où vous allez faire partie du FBI, les poules vont avoir des dents.

* * *

L'oreille collée sur la porte du 550, je crois entendre une conversation agitée. Je me sens plus hésitant depuis ma rencontre avec le gardien. Je ne vais tout de même pas reculer, rendu si près du but! Comme dans le bon vieux temps, je dois marquer: ne pas rater une si belle occasion de compter. Je frappe.

John Ludvic, lui-même, m'ouvre.

– Oui?

– Euh... Je ne sais pas si tu te souviens de moi mais je...

– Oui, je te reconnais: ... la *Toyota* blanche.

John m'avait donc repéré. Il avait l'œil plus vif qu'à l'époque où il était gardien de but (mais je me retiens de le lui dire). Sa mémoire, par contre, semble plutôt lente. Et dans ma tête, je pense: «En tout cas, avant que je fasse partie du FBI, les poules n'auront plus de dents.»

– John, je suis Jacques Saint-Martin. Tu te rappelles? La ligue de hockey...

– AH! SEIGNEUR!...

Il me reconnaît.

– Oui, oui, oui: Jacques «la gazelle»! Je me souviens.

Je respire un peu mieux.

– Les patins plus vite que la tête!

Je m'étouffe presque.

– Entre.

Je suis, bien sûr, un peu offusqué. Mais je ne dois pas m'arrêter à de pareils détails trop insignifiants en regard du but de ma visite. John me laisse entrer et referme.

L'appartement est immense. Pourtant, il ne comporte qu'une seule pièce. Tout au fond, une cuisinette et un comptoir en mélamine. J'y remarque un panier où pourrissent des cœurs de pommes. À gauche, une grande fenêtre donne sur l'immeuble d'en face. Dans un coin, dort fièrement un magnifique lit ancien, surplombé d'un vieux miroir ovale. Près de l'entrée se trouve une table à dessin entourée de crayons, de pots de peinture, de feuilles et de pinceaux donnant à l'appartement cette chaleureuse ambiance d'un atelier de travail. Mais ce qui retient surtout mon attention, c'est ce grandiose album dessiné, debout, à demi ouvert, qui touche presque le plafond. Ce superbe album géant représente l'un des premiers numéros de la série *À la recherche de la terre perdue.*

– Impressionnant!

– C'est un cadeau que je me suis fait.

Je regarde l'album, fasciné. Bénouk, le héros, fait la page couverture en compagnie de Cirandella et du monstre Mercuron. Ils sont plus grands que nous. Leur regard m'hypnotise. L'album occupe plus du tiers de l'appartement.

– Vraiment très impressionnant! Cela doit t'aider à trouver l'inspiration?

– À qui le dis-tu!... Tu veux quelque chose à boire?

18

– Euh... oui. Un jus de légumes, si tu en as.

John se dirige vers un mini-réfrigérateur. Et c'est alors seulement que je me rends compte qu'il n'y a personne d'autre que John dans l'appartement. Mais où sont donc passés les gens qui y discutaient quelques secondes plus tôt? IL N'Y A QU'UNE SEULE ET IMMENSE PIÈCE! Ils ne sont tout de même pas tous allés au «petit coin» en même temps?...

* * *

– J'ai dit au gardien de laisser monter le journaliste qui me suivait.

– Ah bon...

Je m'explique mieux le comportement du lutteur retraité à la main de fer. Cependant, je saisis beaucoup moins bien l'attitude de John.

– Tu as refusé de parler aux journalistes tantôt. Alors pourquoi en laisser monter un? Puisque tu ignorais que c'était moi.

– Je voulais connaître mon poursuivant. Vois-tu, j'ai d'importantes révélations à faire. Mais des révélations qu'on ne peut pas faire devant plusieurs journalistes. Ni à n'importe lequel. Et... malheureusement, je doute même qu'il y en ait un seul à qui je puisse... tout révéler.

– ... Même à moi?... Un vieux copain... un ex-coéquipier de hockey...

John hausse les épaules en signe d'incertitude; puis, énigmatique, il quitte son fauteuil.

Je suis si près du but. Je me dis qu'il ne faut pas rater l'occasion. Je dois bien manœuvrer. Je m'imagine la tête de mes patrons si j'obtiens cette entrevue exclusive avec ZAPPI, le maître de la BD de science-fiction. Je n'avais été affecté au secteur culturel du journal que deux semaines auparavant et déjà une chance exceptionnelle de faire *la une* s'offrait à moi.

John est maintenant debout devant la fenêtre; il regarde l'immeuble d'en face. Il est songeur. John est petit mais près de Bénouk sur l'album géant, il paraît minuscule. Malgré son crâne dégarni et ses cheveux grisonnants, il est encore tout jeune: quarante ans... «À force de se creuser les méninges pour trouver des histoires, il doit y laisser nécessairement quelques plumes», pensai-je. Les murs sont tapissés de dessins de monstres, de batailles, et de croquis d'armes de toutes espèces; l'appartement semble être constamment sur un pied de guerre. «De quoi faire vieillir.»

– Jacques?

– Oui?

Les yeux toujours rivés sur l'immeuble, John me pose la question piège:

– Aimes-tu mes dessins sur les murs? Mes personnages? Ce que je fais?

– ... Eh bien, je... je n'aime pas beaucoup.

«Imbécile!» Je me reproche aussitôt cet excès de franchise qui m'a joué de mauvais tours plus d'une fois dans ma carrière de journaliste. Je n'ai jamais pu mentir, même si cela risquait de me faire perdre un bon reportage.

Étonné, John se retourne et me lance:

– Et tu crois que je vais t'accorder une entrevue?

– ... Plus maintenant, non.

* * *

À ma grande surprise, John m'offre de rester à souper avec lui.

Mon projet d'article est à l'eau; mais j'accepte. Pour le plaisir de manger et de renouer connaissance avec mon ancien gardien de but, mon ami John.

Peu à peu, à mesure que la soirée s'écoule, je sens croître chez John une certaine nervosité. Il parle, parle, puis subitement s'arrête net pour aussitôt reprendre le fil de la conversation. Comme s'il parlait en pensant à quelque chose d'autre. Une étrange impression se dégage de sa façon de me regarder. Pourtant, bien que me sentant scruté à la loupe, j'ai le sentiment de ne pas être vraiment épié. John m'interroge longuement sur mon travail. La soirée passe très vite et bien. Et comme je m'apprête à lui annoncer mon départ vers les 10 h 30, il me demande de rester.

* * *

– Il m'est arrivé une histoire incroyable! Si je te la raconte, tu vas me croire fou. Et je t'assure, jamais un journal n'acceptera de publier les révélations que je pourrais te faire. JAMAIS!

– Pourquoi? Si c'est la vérité.

– C'est la vérité! Mais une vérité...

La voix de John est hésitante. Il me regarde droit dans les yeux.

– Ce que je vais te raconter, c'est à la fois terrifiant et magnifique.

Il ne ment pas. Ma longue expérience du métier de journaliste me permet de façon quasi infaillible de détecter les moindres signes apparents du mensonge. John ne mentait pas. Mais jamais encore un regard ne m'avait autant bouleversé que le sien. Je compris que ne pas le croire serait l'anéantir.

– Vas-y, je t'écoute. Oh! Aurais-tu un autre jus de légumes?

John m'apporte mon jus et commence le récit de *son histoire*...

2

On ne se laisse plus faire

• *L'étrange apparition*

Son incroyable histoire s'était déroulée seulement deux jours avant notre rencontre.

Comme tous les soirs, après 22 h., Zappi est au boulot à sa table de travail, le seul coin éclairé de l'appartement. Le reste de l'immense pièce est dans la pénombre. Seule une lumière tamisée fuse entre les bandes métalliques du store de la grande fenêtre.

Zappi dessine une des dernières scènes du nouvel album de sa série *À la recherche de la terre perdue*. L'éclairage filtré de la nuit qui se propage jusqu'à l'immense album crée une atmosphère de mystère dans l'appartement. Zappi aime travailler à cette heure tardive.

Pourtant, ce soir, Zappi se sent épuisé. Il vérifie l'heure: il est tout près de minuit. Il se remet à l'ouvrage. Sur le papier, son crayon dessine et dans sa tête l'action se déroule à nouveau:

En quête de la pierre du Sphynx, leur seul espoir de trouver la terre, Bénouk et Cirandella dévalent un des trois plateaux de granit qui dominent la planète Mercure. Dans sa course effrénée, Cirandella remarque une lueur derrière un des rochers qui longent le sentier qu'ils empruntent. Elle comprend le piège que leur tend Mercuron.

CIRANDELLA: Bénouk! Attention! C'est un piège!

BÉNOUK: Nous devons passer!

Au même instant, un cri monstrueux retentit et Bénouk est
terrassé. Mercuron a bondi du
rocher. Les deux roulent sur la
pierre et dans la poussière,
jusqu'à la bouche d'un cratère.
Un corps-à-corps sans merci
s'engage. Une faiblesse de l'un
ou de l'autre des belligérants et
l'un d'eux se retrouve dans
cette horrible marmite de lave
en fusion.

**MERCURON: Jamais tu n'au-
ras cette pierre du Sphynx! Elle
appartient à Mercure!**

Grâce à sa force extraordinaire,
et bien qu'il soit en mauvaise
posture, Bénouk peut, après
quelques instants de lutte fé-
roce, renverser Mercuron. Ce
dernier se retrouve presque
suspendu dans le vide. L'effroi
du moment vient décupler la
laideur du visage mi-homme,
mi-animal de Mercuron. Ses

doigts s'agrippent à Bénouk comme des ventouses pour échapper à la mort.

CIRANDELLA: Tue-le! Tue-le, Bénouk!

Bénouk s'arrête.

À cet instant, Zappi a l'impression que la tête lui éclate. La douleur est atroce.

BÉNOUK: Non! J'en ai assez!
CIRANDELLA: Bénouk! Que fais-tu? TUE-LE!

Zappi se crispe sur sa table de travail. Que se passe-t-il? Le Bénouk de sa tête ne répond plus au Bénouk de son dessin! Comme si Bénouk était devenu autonome, indépendant. Comme si Bénouk avait sa propre vie. Tout ça hors de son contrôle.

BÉNOUK: NON! NON! NON! J'en ai ASSEZ! ASSEZ! ASSEZ!

Un bruit infernal résonne soudainement dans la tête de Zappi... ou dans l'appartement. Il ne le sait trop. Zappi porte les mains à sa tête qui gronde encore de ce bruit étrange. Ayant quitté sa table de travail, il aperçoit dans la demi-clarté, au pied de l'album géant, une masse qui s'agite sur le sol à la façon d'une pieuvre, monstre à quatre tentacules. Zappi est horrifié par cette apparition. Serait-il en plein cauchemar? Son regard ne peut se détacher de cette forme qui gît par terre. Elle tente péniblement de s'arracher du sol comme si elle était trop lourdement tombée. Paralysé, Zappi fixe ce corps étranger qui lui semble être sorti de l'album. Zappi se frappe... pour se réveiller. Rien à faire! «C'est un cauchemar», se dit-il, «MAIS JE NE RÊVE PAS!» Affolé, il n'a qu'une envie: se sauver et crier À L'AIDE! mais il n'en a pas la force... Son œil remarque un objet étincelant attaché à cette créature qui ne cesse de bouger. Soudain, à force d'efforts et de cris de rage, le corps réussit à se soulever. Zappi n'en croit pas ses yeux: il reconnaît BÉNOUK! Son personnage ne parvient pas à trouver son équilibre. Il vacille. Sa musculature, prise d'une frénésie soudaine, lui fait exécuter une danse bizarre. Il apprivoise avec douleur son nouvel environnement. Zappi n'a plus de doute: c'est bel et bien son personnage. Devant l'album géant, juste à côté du Bénouk dessiné, l'autre Bénouk exécute sans interruption des mouvements déconcertants qui le rendent à la fois horrible et drôle.

* * *

— Tu vois, ce n'est pas une histoire facile à croire. John Ludvic me teste. Il se demande sûrement si je vais le traiter de fou à lier. Il attend que je réagisse.

— Écoute, dis-je, aurais-tu encore un peu de jus de légumes?

Il éclate de rire et retourne au réfrigérateur. Ce qui me donne un moment de réflexion dont j'ai bien besoin. Je ne suis pas loin de penser que mon ami est fou à lier.

Pourtant, je ne me trompe pas: John Ludvic ne ment pas.

– Tiens!

Il me remet un verre de jus de légumes. Puis, il dépose sur la petite table à mes côtés un pot rempli à ras bord de jus de légumes. Nos regards se croisent. John se rassoit.

– Jacques, si tu n'étais pas sceptique à ce stade-ci de mon histoire, je te traiterais de... fou à lier.

Et là-dessus, je bois une gorgée, en attendant la suite de l'histoire...

• La taloche

Encore sous le choc, Zappi s'approche peu à peu de Bénouk et se rend compte que ce dernier a les yeux fermés. À chaque instant, Bénouk risque de tomber. Il gesticule dans tous les sens. Croyant qu'il va basculer, Zappi tente de lui venir en aide. C'est alors qu'il reçoit une taloche en plein visage, suivie d'un coup de pied sur une jambe. Il recule aussitôt et décide de laisser Bénouk s'acclimater à ce nouvel univers.

Après quelques minutes, Bénouk parvient finalement à maîtriser son corps et se tient droit sans bouger, les yeux toujours fermés. Zappi prend la lampe sur sa table de travail et fait quelques pas en direction de Bénouk.

– Est-ce que je... je rêve ou... ou tu es... Bé... Bénouk?

– AHHHH!!!!

Zappi recule brusquement. Bénouk pousse un cri d'horreur, se protégeant les yeux de ses mains. Lorsqu'il a entendu prononcer son nom, il a ouvert les yeux. La lampe de Zappi l'a aveuglé. La douleur est encore atroce.

Conscient de sa gaffe, Zappi revient à la charge mais cette fois sans la lampe.

– Excuse-moi!... Tu es bien Bénouk?

Comme il est à deux pas du personnage, Zappi voit qu'il s'agit de la réplique parfaite de Bénouk, son héros... EN CHAIR ET EN OS!

Bénouk commence par ouvrir timidement un œil pour le fermer aussitôt. Il fait de même avec l'autre

32

œil et ainsi de suite, de plus en plus vite. Bien qu'il trouve la scène cocasse, Zappi garde son sérieux car il craint trop cet être sorti de... de nulle part... ou plutôt de l'album... ou encore de son imagination... il n'en sait trop rien.

Après maints efforts, Bénouk réussit à garder les deux yeux ouverts; il fixe alors Zappi d'un regard dur, un long moment, sans dire un mot. Zappi sent des sueurs froides lui couler dans le dos.

– Euh... je... je suis Zappi. N'aie pas peur.

* * *

– Je te dis que le maître de la BD de science-fiction en prenait pour son rhume!

John Ludvic me scrute à nouveau. Il a interrompu son récit et s'approche de l'album géant.

– Tu vois cette bague à l'annulaire de la main droite de Bénouk?

De la tête, je fais signe que oui.

– Eh bien...

John se penche vers moi et,

touchant une éraflure sur sa joue gauche:

– C'est avec cette bague qu'il m'a légèrement coupé lorsqu'il m'a donné sa taloche en plein visage.

La blessure n'est pas encore toute cicatrisée.

Nos regards s'entrecroisent à nouveau.

– Bois ton jus! Bois ton jus!

Et là-dessus, il reprend le fil de son histoire...

• Dix centimètres au-dessus de terre!

– N'aie pas peur! Tu n'as pas à avoir peur...

Zappi cherche à rassurer Bénouk. Il veut lui expliquer qu'il n'a rien à craindre en sa compagnie; et pourtant, Zappi lui-même tremble comme une feuille devant le regard immobile de Bénouk toujours posé sur lui.

– Oui, n'aie pas peur: je suis Zappi. Tu sais bien Zappi, l'auteur! Ton... ton créateur! C'est moi qui t'ai créé. Tu comprends?

34

Les yeux de Bénouk bougent enfin. Zappi en profite pour ajouter:

– En quelque sorte, je suis ton... TON PÈRE!

À ces mots, le jeune visage de Bénouk s'emplit de douceur. Et avant même que Zappi puisse dire un mot, il se retrouve dans les bras de Bénouk. Son fils l'étreint de joie... dix centimètres au-dessus de terre. Zappi a peine à respirer.

Se laissant aller à son immense bonheur, Bénouk commence à tournoyer avec Zappi dans les bras; le jeune homme, resplendissant de tendresse, lance à son père, dont les pieds s'élèvent maintenant à vingt centimètres du sol:

– Happa qui tencon de voipou te lépar. J'en t'ai haitsou mocement.

* * *

– *Quoi?*

Cette fois, c'est moi qui coupe John.

– *Qu'est-ce que tu dis?*

– *... Happa qui tencon de voir pou te lépar. J'en t'ai haitsou mocement.*

35

Ou à peu près ça.

– C'est quelle langue, ça? Tes personnages ne parlent pas le français?

– Oui.

– Bon, alors?

– ... Donne-moi donc un peu de jus!

John transpire comme s'il était encore coincé dans les bras de Bénouk.

Je lui verse à boire. Son histoire, bien qu'incroyable, m'intrigue au plus haut point.

– D'abord, je lui ai demandé de me redescendre sur terre. J'étais en train d'étouffer.

– Ensuite?

• **Le grand frère!**

Redescendu sur terre, Zappi respire à pleins poumons. Il s'estime chanceux d'être vivant; Bénouk n'a pas vraiment usé de sa force. Zappi conclut qu'il devra être vigilant à l'égard de son personnage. Et surtout, ne pas trop le contrarier. Pourtant, il n'a rien saisi du cha-

36

rabia de Bénouk alors que ce dernier, radieux, attend que son père lui dise quelque chose.

– Euh... Bénouk, je ne sais trop quoi te dire. Surtout, COMMENT! Enfin, je croyais, dans ma tête, que tu parlais comme moi le français? Du moins, dans ma bande dessinée.

L'expression de Bénouk se durcit à nouveau. Sur un ton empreint d'agressivité, il répète avec encore plus de vigueur que précédemment:

– Hapapa qui juis tencon de voir pou te parler. J'ai en touhaite ce moment!

Zappi écarquille les yeux. Il ne comprend toujours pas le sens de ces paroles; néanmoins il commence à saisir ce qui se passe chez Bénouk. Son héros ne lui laisse pas le temps de réfléchir plus longuement; il attrape Zappi par les épaules et le secoue allègrement:

– Hapapa que je tuis con-en de vour poi te parler. J'ai tant haité ce moment!

Accélérant le rythme des secousses au gré de sa colère montante, il enfile coup sur coup:

– Ah, papa! que je cuis content de pouirvou te parler. J'ai tant souté ce moment!... Ah, papa! Que je suis content de pouvoir te parler! J'ai tant souhaité ce moment!

Toujours convaincu de ne pas être compris, il continue de plus belle:

– Ah, papa! Que je suis content de pou...

– Ça va! Ça va, Bénouk! J'ai compris! J'ai compris!

Bénouk s'arrête net. Tout comme il l'avait fait avec son corps, il avait dû apprivoiser la langue: le français. Avec une certaine crainte, il s'informe aussitôt auprès de Zappi:

– Tu as compris?

– Oui. Et moi aussi, ça me fait plaisir de te parler, Bénouk!

– Ah, papa!...

Devant les grands bras de son héros qui s'ouvraient à nouveau, Zappi bondit vers l'arrière.

– Non, non, Bénouk, musclé comme tu es, tu risques de m'étouffer. Tantôt, je n'arrivais plus à respirer.

Aucunement contrarié, Bénouk

détourne son attention de Zappi. Puis, animé d'une curiosité insatiable, il se met à parcourir l'appartement en tous sens.

– Comme ça, c'est ici que je suis né?

Zappi se détend pour la première fois depuis l'arrivée explosive de Bénouk. Il ne comprend toujours pas la situation. Sa seule certitude: il ne rêve pas.

– Oui, Bénouk. Tu es né un... un mercredi 12 janvier à 14 h, ici même; tu es né à l'âge de 16 ans.

– Seize ans?

– Oui.

– Et je n'ai pas de mère?

– Non. Heureusement! À ta naissance, tu pesais 85 kg et tu mesurais 1 m 80.

Bénouk appuie sur l'interrupteur et s'amuse à allumer et à éteindre la lumière de l'appartement.

– Je pense que j'aurais bien aimé ça être petit...

La lumière demeure allumée, car Bénouk vient de briser l'interrupteur qui reste coincé. Puis, il se tourne vers Zappi et lui demande:

– Pourquoi il n'y a jamais d'enfants dans mes aventures? J'aimerais bien qu'il y en ait.

Sans conviction, Zappi réplique:

– J'y songerai.

– Cela me changerait des monstres.

– Tu sais, dans le monde des humains on appelle souvent les enfants des «petits monstres».

Bénouk fait quelques pas en direction de Zappi et d'un air sérieux rétorque:

– Ils ne doivent pas aimer les enfants ceux qui les appellent... des petits monstres!

Zappi, embarrassé, oriente aussitôt la conversation sur un autre sujet.

– En tout cas, monstres ou pas, tu es devenu un grand héros pour les jeunes, Bénouk!

Sensible à cette remarque, Bénouk sourit.

– C'est vrai?

– Oui. Les enfants t'aiment. Plus que moi! Moi, ils ne me connaissent pas. Mais toi... Tu es comme un grand frère pour eux! Ils te regardent: dans les livres, à la télévision, ils dépensent leurs économies pour acheter tes albums, tes affiches qu'ils collent sur les murs de leur chambre, des chandails avec ton portrait. Ils t'admirent!... Ils t'imitent, même!

– ILS TUENT?

Zappi est surpris par le visage soudainement angoissé de Bénouk. Rapidement, il le rassure:

– NON, voyons!... Ils font semblant. C'est un jeu pour eux.

– Pas pour moi!

* * *

La sonnerie du téléphone résonne dans l'appartement de John Ludvic.

Je sursaute.

– Excuse-moi.

John va répondre.

J'en profite pour aller à la salle de bains; non par besoin mais pour assouvir ma curiosité. J'avais remarqué, à mon arrivée, que l'interrupteur se trouvait entre la porte d'entrée et celle de la salle de bains. La lumière était restée allumée depuis mon entrée et l'interrupteur qu'avait brisé Bénouk, deux jours auparavant, était bel et bien dans sa position allumée. J'ai une envie folle de tenter de le baisser. Je me dis: «Ça ne veut rien dire, même s'il n'est pas bloqué, John a pu le faire réparer.» Je passe devant l'interrupteur sans le toucher. Dans la salle de bains, après un instant, j'actionne la chasse d'eau. «Mais si le fameux accident est arrivé samedi soir, John n'a pas pu le faire réparer dimanche. Et aujourd'hui, j'en doute fort...» Je ne pense qu'à cet interrupteur. Aussi, sorti de la salle de bains, en passant je pousse sur le bouton. La lumière s'éteint. Je l'ouvre aussitôt.

Au téléphone, John ne bronche pas: il poursuit son entretien comme si de rien n'était. Je me rassois et je l'attends, non sans ressentir une certaine gêne.

John termine son appel.

Je prends les devants.

– Tu as fait réparer ton interrupteur?

– Pas du tout. Un électricien, ça ne se trouve pas facilement la fin de semaine, ni rapidement en semaine. Et l'électricité, moi, je ne touche pas à ça.

Il se dirige près du comptoir de cuisine et, pointant un autre inter-rupteur, il ajoute:

– Heureusement, j'ai deux inter-rupteurs pour la pièce. Bénouk m'a brisé celui-ci. Si tu veux l'essayer, ne te gêne pas.

«Comment n'y avais-je pas pensé? Une si grande pièce ne peut pas avoir un seul interrupteur.»

– Tu veux du jus de légumes?

– Non. Continue!

• La rampe de lancement

Après que Zappi lui a expliqué que les enfants tuent pour faire SEMBLANT, et qu'il ne s'agit que d'un jeu pour eux, Bénouk répète sans cesse: «Pas pour moi! Pas pour moi! Pas pour moi!...» Et soudain, il détourne son regard de Zappi. Le lit semble attirer son attention et sa curiosité. Il s'en approche avec prudence.

– Qu'est-ce que c'est?

– Ça? C'est un lit, voyons.

– Ah...

Zappi est surpris de voir son personnage si fort, si puissant, tâter le lit d'abord avec crainte puis avec émerveillement. L'aspect moelleux de cet objet qu'il découvre paraît le fasciner au plus haut point. Puis, brusquement, d'un bond, il y saute à pieds joints. Remarquant l'effet de rebond, le héros de *À la recherche de la terre perdue* s'enthousiasme, continue de sauter, sauter, comme s'il s'agissait d'une trampoline, s'élevant toujours un peu plus haut et le matelas s'affaissant toujours un peu plus bas.

Zappi, le moral bien bas et les yeux bien hauts, bouche bée, contemple ce spectacle inusité.

– C'est une rampe de lancement? demande Bénouk.

Zappi éclate de rire, oubliant le mauvais traitement fait à son vieux lit qu'il a acheté à prix d'or dans une boutique d'antiquités.

– Non, non. C'est pour se reposer, Bénouk. Pour dormir.

Bénouk cesse son manège mais reste debout dans le lit.

– Dormir?

– Oui. Quand on est fatigué, que notre corps est épuisé, on s'étend...

Zappi se couche et poursuit son explication:

– On ferme les yeux et on dort, comme ça. Tout le monde a besoin de dormir sur terre, au moins huit heures par jour.

– WAAAAHHH!!!

Effrayé, Zappi se jette en bas du lit. Au bout d'un moment, il tente un regard en direction de Bénouk et fixe son glorieux héros, toujours installé debout sur le lit et continuant à crier sa joie:

– Sur terre! WAHHHH!!!! Sur terre! WAHHHH!!!! Sur terre! Sur terre!

Mais soudain, un doute traverse l'esprit de Bénouk; il regarde Zappi et, sur un ton craintif, dit:

– Je... je suis bien sur terre? C'est vrai?

– Aussi vrai que tu viens de me faire tomber par terre!

Zappi regrette aussitôt son ton colérique.

Sans aucunement se soucier de son créateur, Bénouk saute en bas du lit et se remet à parcourir la pièce dans toutes les directions. Il a les yeux pleins de larmes.

– Je suis sur terre! Je suis sur terre! Il y a une éternité que je cherche la TERRE! Une éternité que je me bats comme un fou pour la trouver! Et J'Y SUIS! SUR TERRE! ENFIN! ENFIN! ENFIN! Plus de Mercuron! Plus de pierre du Sphynx! PLUS BESOIN DE TUER! Je crois rêver!...

Zappi observe avec étonnement Bénouk qui craque sous l'émotion, qui pleure à chaudes larmes.

* * *

Je suis renversé...

Les yeux, le visage, les gestes de John Ludvic me persuadent qu'il a bel et bien vécu ce qu'il me raconte. À moins que ce ne soit un excellent comédien?

Je le laisse continuer sans l'interrompre.

– ... Mais tu comprends, Jacques,

46

je ne pouvais pas ne pas réagir! Ne pas mettre fin à cet impossible rêve de Bénouk. Tout me semblait ridicule! Impossible! Moi, j'espérais que tout cela n'était qu'un rêve. Et lui, Bénouk, rêvait de rester avec moi, hors de sa BD! Fiction ou réalité, je ne savais plus, mais il me fallait passer à l'action. Jouer le jeu. Je n'avais pas le choix! Pas le choix! Pas le choix!

Et John se laisse à nouveau envahir totalement par son histoire...

• Papa! Papa! Garde-moi avec toi!

Zappi s'efforce de ne pas perdre le contrôle de la situation, convaincu que seule une position ferme de sa part lui permettra de se tirer d'embarras.

D'une voix autoritaire, il s'adresse à Bénouk encore bouleversé, assis par terre et sanglotant:

– Bénouk... Tu rêves! Tout ça n'est qu'un rêve!

Bénouk cesse de sangloter; mais il ne bouge pas et ne répond pas.

– J'ignore comment tu as pu faire

pour t'échapper de la bande dessinée, mais ce que je sais: C'EST QUE TU DOIS Y RETOURNER!

– JAMAIS!

En moins de deux, Bénouk est debout, en position de combat, défiant Zappi de son glaive.

Zappi est terrifié! Il a dessiné des centaines de fois cette scène de Bénouk en position d'attaque. Jamais il n'aurait cru qu'elle pouvait provoquer un effet aussi horrible.

Réalisant subitement à quel point il venait de faire peur à Zappi par ce geste agressif, Bénouk se sent mal à l'aise, bouleversé! Et comme un enfant, il se laisse tomber dans les bras de Zappi:

– Papa! Papa! Garde-moi avec toi! Près de toi! Sur terre!

Sa voix est suppliante, touchante.

* * *

John s'arrête de parler. Il fixe le Bénouk de l'album géant au centre de l'appartement. Finalement, il me jette un coup d'œil et, souriant, me confie:

– Je n'ai jamais été très fort pour exprimer mes sentiments... dans la réalité comme dans le rêve.

• Tu n'es pas mon fils

Zappi ne se laisse pas attendrir et repousse Bénouk. Son jeune héros ressemble à un enfant qui supplie son père de le comprendre. Zappi, mal à l'aise, sent le besoin de lui préciser:

– Bénouk, voyons! Tu... tu n'es pas mon fils.

Bénouk recule. Déçu, il regarde Zappi dans les yeux.

– Je... je veux dire que tu n'es pas un fils comme les autres. Tu es né de mon imagination. Tu es sorti de ma tête et pas du ventre d'une femme!

– Qu'est-ce que cela change?

– TOUT!

Zappi décide de jouer le tout pour le tout.

– Je t'ai dessiné, je t'ai donné vie pour faire plaisir aux jeunes. Pas pour moi. Je suis avant tout ton CRÉATEUR. UN AUTEUR! Et j'ai

besoin de toi dans ma bande dessinée pour continuer mes histoires.

Zappi observe Bénouk du coin de
l'œil; ce dernier prête attention à
son plaidoyer. Aussi, il décide de
pousser plus avant et de jouer sur
les sentiments de Bénouk.

– Sans toi, je ne suis plus rien,
moi. Je vis avec l'argent que me rap-
porte la vente des albums dont tu es
le héros. Plus de Bénouk, plus d'argent. Plus d'argent, plus de Zappi!
Tu comprends?

Bénouk ne répond pas.

Zappi sait que Bénouk le comprend.

– Alors, tu... tu veux bien retourner dans l'album?

Après une brève hésitation,
Bénouk dit:

– Oui.

Soulagé, Zappi ajoute:

– Tu es un bon fils.

Zappi le pense vraiment mais pas
pour longtemps: il voit Bénouk bi-
furquer d'un pas ferme vers le lit.

– Mais... mais, où vas-tu?

– Je retourne dans le lit. Je me
sens fatigué. Et comme je suis sur

terre, je dois DORMIR.

Zappi retient sa colère.

Bénouk saute de nouveau à pieds joints sur le lit, rejouant à la trampoline. Avec un petit air ironique, il s'écrie:

– Je sens mon corps É-PUI-SÉ.

Et il ferme les yeux.

– Oui, c'est évident! lance Zappi, marabout, suivant de la tête Bénouk toujours en mouvement. TU DORS DEBOUT!

Bénouk ouvre les yeux. Se rappelant alors la démonstration de Zappi un peu plus tôt, il se laisse lourdement retomber sur le dos: BANG!

– Et je ferme les yeux, conclut-il, heureux comme un héros retrouvant sa planète après un long voyage interplanétaire.

«Il ne va tout de même pas ronfler!»

– Et... Et tu comptes dormir longtemps comme ça?

– Huit heures. Au moins! Comme tout le monde sur la terre... PAPA!

* * *

Je pouffe de rire.

— Excuse-moi, ça été plus fort que moi!

J'avais brusquement coupé John, qui se lève et se poste devant la grande fenêtre.

— Tu peux bien rire, lance-t-il. À vrai dire, moi aussi, ce soir, je trouve cela drôle. Mais... quand cela s'est passé, je t'avoue que j'avais peine à garder mon calme.

— Qu'est-ce que tu as fait?

J'ai vraiment hâte de connaître la suite. J'ai l'impression de vivre un roman de science-fiction: une histoire qui semble incroyable au moment où elle nous est racontée mais dont on sait qu'elle pourrait bien être réelle un jour. SAUF QUE DANS CE CAS, L'HISTOIRE AVAIT ÉTÉ UNE RÉALITÉ AVANT MÊME D'ÊTRE RACONTÉE. Du moins, c'est ce que soutient celui qui me la raconte.

— Je n'avais qu'une chose en tête: trouver un moyen pour que Bénouk réintègre l'histoire. Pendant un bref moment, j'ai pensé lui tirer l'oreille, comme à un enfant, jusqu'à ce qu'il décide de retourner d'où il venait. IL

M'AURAIT ÉCRASÉ COMME UNE PUCE!

– Qu'as-tu fait, alors?

John fait volte-face. Je suis étonné par son expression; son visage est plein d'amertume.

– Une chose dont je ne suis pas fier du tout!

Je n'insiste plus.

Il revient s'asseoir.

– Tu vois, je... je me suis laissé gagner par la panique. Bénouk se mit à ronfler. Je trouvais qu'il s'habituait trop rapidement à notre monde: celui de la terre. Et s'il restait? Ma carrière de bédéiste était en péril. La nervosité aidant, je me suis imaginé les pires catastrophes: sans Bénouk, plus d'album. Plus d'argent! Finis les voyages! La gloire! Etc.

Et cherchant de toute évidence un certain appui de ma part, John me lance à brûle-pourpoint:

– Tu comprends?

– ... Je crois que oui.

Et là, il me mit au courant du stratagème assez génial qu'il avait inventé pour parvenir à son but:

amener Bénouk à réintégrer son monde original, la bande dessinée...

• **Bénouk! Où es-tu?**

Laissant ronfler Bénouk, Zappi se précipite à sa table de travail. Il reprend ses crayons, se remet à dessiner et à reconstituer le fil des événements DANS SA TÊTE:

«Mercuron, à mi-corps au-dessus du cratère en fusion, se retrouve libéré de toute emprise. Bénouk n'est plus là.

CIRANDELLA: Bénouk! Où es-tu?... Bénouk! Où es-tu?

Cirandella est angoissée par la disparition subite de son ami. Sa voix résonne sur tout le plateau: «BÉNOUK? BÉNOUK?»
Mercuron se glisse hors du cratère et retrouve peu à peu ses moyens. Après quelques instants, il repère Cirandella qui, paniquée, grimpe à toute épouvante en évitant les rochers. Mercuron se lance sur ses traces.

CIRANDELLA: Bénouk? Bénouk?

Mercuron, agile sur les rochers comme un fauve en forêt, a tôt fait de la rattraper.

Zappi dessine comme un fou. Il vient d'apercevoir Bénouk, dans le lit, les yeux grands ouverts, horrifié. «Ça marche! Ça marche!» se dit Zappi. «Bénouk entend tout! Il voit tout ce qui se passe dans ma tête! Génial!» Le crayon de Zappi court partout sur la feuille au rythme de son imagination en pleine ébullition:

Cirandella ne sent plus derrière elle le souffle court de Mercuron. Elle l'a distancé, croit-elle. Erreur! La terreur se lit dans ses yeux: elle fonce droit sur Mercuron! Il l'a contournée par derrière les rochers. Elle tente de faire demi-tour. Peine perdue! Les deux bras du monstre l'enlacent par la taille. Elle se débat. Elle frappe en tous sens!

CIRANDELLA: Lâche-moi! Mercuron! Lâche-moi!

Mercuron resserre son étreinte.

CIRANDELLA: BÉNOUK???

Le rire diabolique de Mercuron se répercute avec fracas sur les rochers du plateau.

Bénouk bondit du lit, faisant sursauter Zappi à sa table de travail; Zappi continue de plus belle à écrire!

CIRANDELLA: Tue-moi! Tue-moi!

Les rires effroyables de Mercuron redoublent.

MERCURON: Te tuer!... Il y a beaucoup mieux à faire!

La voix du monstre se fait grave:

MERCURON: Que tu es belle, Cirandella!

Bénouk se jette sur Zappi. Les

deux basculent et vont se frapper sur le mur derrière la chaise de Zappi.

– ZAPPI! ARRÊTE! ARRÊTE!

Zappi s'est durement cogné la tête.

– Pourquoi fais-tu cela?

– ... Même si tu n'es plus là, Bénouk, je dois continuer mon histoire!

Zappi a de nouveau la tête qui lui éclate. Il s'écarte de Bénouk. Il ne peut plus reculer. Il veut en finir avec toute cette histoire.

– Et si tu ne retournes pas immédiatement les rejoindre, Bénouk, Dieu sait ce qui arrivera à Cirandella!

– Zappi, tu es cruel!

– Je n'ai pas le choix: je suis auteur!

Le regard anéanti par le désespoir, Bénouk répond:

– Tu es aussi... MON PÈRE!

Bien décidé à ne pas succomber aux belles paroles de Bénouk, Zappi regagne en vitesse sa table de travail et rétorque:

– C'est pour ton bien!

Il se remet à dessiner.

– Pour mon bien!!!

Bénouk semble profondément blessé mais Zappi ne l'entend même plus: sa tête est déjà toute pleine de rires monstrueux et de la voix de Cirandella: «Bénouk? Bénouk?»

À nouveau Bénouk se trouve plongé au cœur du drame de Cirandella. Il ne peut la laisser aux mains de Mercuron, leur pire ennemi, sans tenter l'impossible pour la sauver. Son père est lâche... pas lui! Furieux, il crie à Zappi:

– Pour mon bien, je reviendrai. JE REVIENDRAI! JE REVIENDRAI!

* * *

John ne dit plus un mot.

J'attends quelques instants. Puis, finalement, ma curiosité étant tro p excitée pour ne pas connaître ce moment crucial de son histoire, je lui demande:

– Il... il est disparu?

Après un autre long moment d'attente, John, d'un signe de tête, répond «oui».

«Mais comment? Comment?», aurais-je voulu lui crier. Au lieu de

cela, je juge préférable de me calmer, de maîtriser cette anxiété qui me gagne un peu plus chaque fois que le récit progresse. Est-ce ma longue expérience de journaliste qui me guide ainsi? Peut-être. De toute façon, je comprends que la pression est forte pour John: raconter une histoire aussi abracadabrante demande beaucoup de courage. Et surtout, beaucoup de cran. Je ne dois pas lui rendre la tâche plus difficile. «Que son histoire soit vraie ou fausse, me dis-je, il est indéniable pour John qu'il l'a bel et bien vécue.»

Ma décision est heureuse. Après quelques minutes de silence, John, de lui-même, poursuit son récit.

• Le grand coup!

Le crayon à la main, Zappi tourne son regard vers Bénouk qui crie:
– JE REVIENDRAI!

Il voit son personnage se diriger vers le centre de l'album géant. Son mal de tête s'intensifie de seconde en seconde. La douleur est si intense qu'il lâche son crayon et porte les mains à sa tête. Et alors qu'il voit Bénouk en train de réintégrer l'album, celui-ci s'irradie d'une luminosité insoutenable.

Zappi reprend connaissance, étendu sur le ventre par terre entre sa chaise et sa table de travail, des dessins éparpillés tout autour de lui. Ses yeux brûlent. Instinctivement, il tourne la tête vers l'album. Bien qu'il ait de la difficulté à percevoir les objets ambiants, il s'entête à fixer l'album et retrouve progressivement la vue: Bénouk est disparu. Il scrute tout l'appartement, soulagé. Un doute persiste: s'il se cachait dans la salle de bains? Il va vérifier. Personne. Rassuré, il humecte une serviette qu'il pose sur ses yeux. L'eau lui pince les yeux. Il revient vers l'album et jette un autre regard circulaire: pas de Bénouk nulle part.

Zappi éclate d'un grand rire nerveux.

«Quelle histoire! se dit-il. Quel cauchemar!»

Encore sous le choc, Zappi se laisse tomber sur le divan. Fiévreux, il se touche le front et se sent la tête comme un volcan en éruption. La terrifiante histoire qu'il a vécue a-t-elle été provoquée par cette poussée de fièvre? Il se lève et se dirige vers le comptoir de la cuisine. Dans le tiroir de gauche, il prend des aspirines. Soudain, son cœur s'arrête. Son attention se porte vers le commutateur. Il s'y précipite d'un geste nerveux et appuie sur l'interrupteur.

Mais, en vain! Il est coincé!

Comme pris d'une rage subite, il court jusqu'à son lit: UN VRAI CHAMP DE BATAILLE! Il se rue vers sa table de travail et se jette en dessous pour y récupérer les dessins. Il voit CIRANDELLA PRISE DANS LES GRIFFES DE MERCURON.

Zappi respire avec difficulté. NON! IL N'A PAS RÊVÉ! Immobile, incapable de faire le moindre geste, il sent ses tempes que le sang martèle. Il croit qu'il va perdre connaissance à nouveau. Puis, du plus profond de sa détresse, une nouvelle énergie émerge: il existe peut-être une solution! Il ramasse ses dessins subito presto, les replace sur sa table, reprend un crayon et se remet à la tâche avec fougue, bien décidé à porter le grand coup!

* * *

John respire péniblement. Sa voix tremble d'émotion mais il n'en continue pas moins la description de son histoire...

* * *

Tout se bouscule à un rythme trépidant dans la tête de Zappi, tout comme sur son papier à dessin:

Sous l'emprise de Mercuron, Cirandella se débat farouchement; les coups pleuvent. Mercuron encaisse tout sans resserrer son étreinte comme s'il ne voulait pas faire de mal à sa proie qu'il ne cesse d'admirer.

CIRANDELLA: Laisse-moi! Laisse-moi!
MERCURON: Pourquoi as-tu peur? Pourquoi as-tu si peur de moi?

Les yeux de Mercuron sont empreints de tristesse. Cirandella ne le remarque pas; elle songe à trouver une ruse pour se libérer. Soudain, sur la gauche, elle aperçoit Bénouk debout sur un rocher.

CIRANDELLA: Bénouk!

À son tour, Mercuron aperçoit son ennemi juré, prêt à bondir sur lui.

BÉNOUK: Mercuron? Relâche Cirandella! Je ne te croyais pas aussi lâche!
MERCURON: Moi, lâche! C'est mal me connaître, mon cher Bénouk! Cirandella était l'appât qui m'assurait de ton retour.
BÉNOUK: Je suis là! Alors, laisse-la!

Mercuron repousse Cirandella, n'ayant plus de yeux et de concentration que pour Bénouk.

MERCURON: Cette fois, je te

tuerai, Bénouk!

À ces mots, Mercuron bondit vers le rocher pour saisir les jambes de Bénouk et le terrasser. Ce dernier esquive la manœuvre en plongeant au-dessus de l'ennemi. Les deux se retrouvent face à face. Bénouk, le glaive à la main, épie les moindres gestes de son opposant. L'avant-bras droit de Mercuron est soulevé, prêt à toute attaque. Dans sa main gauche, il balance une fronde. Les deux se toisent d'un air farouche. Brusquement, Mercuron fait virevolter sa fronde sur sa droite, faisant jaillir une rafale. De son glaive, Bénouk bloque et retourne vers Mercuron le jet de radiations. Le monstre prévient le coup et se roule sur la gauche. Un bruit de pierre éclatée retentit derrière Mercuron. Bénouk attend le moment propice. Il sait qu'une seule attaque contrée par l'écran protecteur de l'avant-bras droit de Mercuron peut lui revenir comme l'effet d'un «boomerang» et lui être fatale. Les deux belligérants sont passés maîtres dans le maniement de ces armes d'une puissance insoupçonnable. Leur habileté fait que l'attaque de l'adversaire se transforme vite en contreattaque. Aussi, conscients du danger, Bénouk et Mercuron tournoient lentement comme deux gladiateurs cherchant avant tout à désarmer l'adversaire; leur force physique importe davantage que leurs armes.

Brusquement, le glaive bien tendu, Bénouk fonce droit sur Mercuron. Surpris par cet assaut audacieux, Mercuron fait dévier le glaive de sa trajectoire meurtrière mais il ne peut esquiver l'attaque de Bénouk qui le frappe de plein fouet. Au dernier instant, Mercuron agrippe Bénouk et l'entraîne dans sa chute. Les deux basculent.

Zappi s'éponge le front du revers de sa manche de chemise. La tension est à son comble: c'est maintenant ou jamais, il doit porter le coup fatal! En finir avec Bénouk. Il ne recule pas et reprend son travail avec angoisse.

Bénouk se retrouve sous Mercuron, au pied du rocher. Il a perdu son glaive. Sa main retient celle de Mercuron qui veut se servir à nouveau de sa fronde. Ce dernier sent que Bénouk va lui casser le poignet tellement sa force est grande. Il réussit à se libérer l'autre poignet pour prendre en toute hâte une pierre qu'il soulève au-dessus de la tête de Bénouk. Ce dernier n'a de yeux que pour la fronde qu'il croit pouvoir faire lâcher à Mercuron d'un instant à l'autre.

CIRANDELLA: Bénouk! ATTENTION!

Au dernier moment, Bénouk voit la pierre et évite le coup en bougeant la tête vers la gauche. Il assène aussitôt un coup de poing à l'estomac de Mercuron et parvient à le renverser. Il lui écrase le poignet avec force. Mercuron grimace de douleur. Sa main semble coincée dans un étau.

Bénouk s'apprête à exercer une dernière pression irrésistible. Pourtant, malgré ses efforts, son étreinte se relâche.

Mercuron profite de ce bref instant de faiblesse de son ennemi pour reprendre la situation en main. En quelques secondes, il se retrouve à nouveau sur Bénouk, en plein désarroi.

CIRANDELLA: Bénouk! Défends-toi! Bénouk! Qu'est-ce qui t'arrive?

MERCURON: HA! Le grand Bénouk qui tremble comme une feuille!

Cirandella, restée à l'écart jusque-là, se rue vers les belligérants. Elle tente d'atteindre le glaive de Bénouk. Mais Mercuron a deviné son intention. Il bondit et attrape le glaive avant elle. Elle se cache aussitôt derrière un rocher. «Bénouk doit avoir eu le temps de récupérer», se dit-elle. Mais ce qu'elle voit la glace d'effroi.

CIRANDELLA: Bénouk! Relève-toi! Défends-toi! Bénouk!

Bénouk a peine à se relever.

«À moins que ce ne soit une ruse!», s'encourage-t-elle. Mercuron s'est rapproché de Bénouk. Son rire retentit.

MERCURON: Bénouk! C'est ta fin!

Il assène un coup de pied à l'estomac de Bénouk qui va s'écraser contre le rocher.

CIRANDELLA: Bénouk!
BÉNOUK: Cirandella! Je n'ai plus de force!

Bénouk est à genoux. Il jette un regard désespéré en direction de Cirandella et lance d'une voix étouffée: «Je ne sais pas ce qui m'arrive.» Mercuron domine maintenant Bénouk.

MERCURON: C'est ta fin, Bénouk!
CIRANDELLA: NON! Mercuron! NON!!!

Mercuron soulève lentement le glaive de Bénouk.

CIRANDELLA: NON! NON! NON!

* * *

– *John, tu as tué ton héros?*
Mon ami me sourit. Ma réaction lui plaît: si je ne croyais pas à son histoire, je n'aurais pas posé cette question et surtout pas sur ce ton, qui frise l'accusation.
– *Jacques, tu dois comprendre que j'étais à bout de nerfs.*
Qui ne l'aurait pas été?

– *Excuse-moi: c'est ridicule de ma part...*

– *Non, au contraire! Ton intérêt pour Bénouk m'encourage à te raconter toute l'histoire. Ce que jamais je ne croyais pouvoir faire, je t'assure.*

– *Écoute, John...*

– *Je sais, je sais: ça ne veut pas dire pour autant que tu crois tout ce que je te raconte, c'est ça?*

J'aurais aimé lui dire «Je ne crois pas un mot de ton histoire de fou!», m'excuser et le quitter sur-le-champ. Mais j'en étais incapable. Tout était à la fois si inconcevable *et si* plausible *dans le récit de John...*

• *Tu seras la reine des Galaxies!*

Alors que Zappi s'apprête à dessiner les trois dernières cases dans lesquelles Mercuron tue Bénouk de son glaive, un bourdonnement infernal emplit à nouveau son cerveau. Il reconnaît ce bruit: Bénouk s'apprête à revenir! «Il n'en est pas question!» se dit Zappi qui, comme un fou, travaille à sa table. À son grand désarroi, il réalise qu'il est trop tard. Une masse difforme vient de s'effondrer au pied de l'album géant.

Zappi, en colère, bondit de sa chaise, hurlant:

– Non! Non! Non! J'en ai assez de tes folies! Bénouk, tu vas...

Stupéfait, Zappi s'immobilise.

– CIRANDELLA?

Depuis que Bénouk a brisé l'un des interrupteurs, l'appartement est resté éclairé; ce qui a permis à Zappi de distinguer très rapidement, sur ce nouveau corps en quête d'un équilibre, le ceinturon métallique et les bottes d'un rouge flamboyant de Cirandella. Cette fois, l'auteur ne se laisse nullement impressionner par les folles pirouettes de son personnage qui tente de s'habituer à ce nouvel univers à trois dimensions. Malgré les coups de pieds et de bras que lui sert, bien malgré elle, Cirandella, Zappi l'agrippe par les épaules. De toutes ses forces, il essaie de l'immobiliser. N'y parvenant qu'à moitié, il décide de l'empoigner et tente de l'attirer vers l'album.

– Cirandella! Cirandella! Il faut

que tu retournes tout de suite dans l'album! Je dois poursuivre mon histoire à tout prix, tu entends? Vite! Vite!

La tâche est ardue; son héroïne lui glisse mollement entre les doigts; puis subitement, elle se raidit et se débat comme une truite prise dans un filet de pêche.

– Mais qu'est-ce que vous avez tous? AÏE!

Zappi est catastrophé.

– CIRANDELLA! ARRÊTE! ARRÊTE!

Peu à peu, Cirandella se calme. Elle découvre finalement Zappi. Elle le regarde, les yeux tout plissés. Ce dernier profite de cette accalmie; avec douceur, il passe son bras autour de son cou puis l'amène très lentement vers l'album.

– Tu dois m'écouter, Cirandella. Tu dois retourner dans l'album immédiatement. Je dois continuer l'histoire. C'EST MOI, L'AUTEUR!

À ces mots, les yeux de Cirandella brillent d'un éclat d'angoisse. Animée aussitôt d'une fébrilité excessive, elle s'accroche à Zappi et, d'une voix désespérée, elle lance:

– Noukbé gerdan en est! Le faut il versau!

– Ah non! Pas encore!

Zappi, exaspéré, repousse son héroïne qui enchaîne en haussant le ton:

– Oukbé en gerdan est! Faut le il versau!

– Je ne comprends rien à ton charabia! Il faut que...

– BÉNOUK EST EN DANGER! IL FAUT LE SAUVER! BÉNOUK EST EN...

– BÉNOUK DOIT MOURIR!

Cirandella, terrifiée, fixe Zappi sans dire un mot.

– ET TOI, CIRANDELLA, TU DOIS LE REMPLACER.

Après un moment de silence, la voix hésitante, Cirandella marmonne:

– Bénouk, mourir? Moi, le remplacer?

Zappi sent bien que son héroïne est bouleversée, comme si elle n'arrivait pas à croire ce que son créateur vient de lui dire. Zappi, lui aussi, est sous le choc. Comment peut-il aussi froidement, avec autant d'aplomb, parler de tuer son Bénouk? Mais a-t-il seulement le choix? NON! Son plan est tout tracé, et reculer d'un seul pas serait courir à sa propre perte.

– Écoute, Cirandella... ma fille...

L'auteur doit jouer à son tour. Il reprend un ton paternaliste et mise sur son pouvoir pour parvenir à ses fins. Il poursuit en prenant avec tendresse les deux mains de Cirandella:

– ... J'ai décidé de faire de toi une grande héroïne. Tu aimerais ça, non?... Bien sûr que oui. Je le sais, moi. Et je sais aussi que tu aimes Bénouk.

Cirandella veut intervenir, mais Zappi ne lui en laisse aucunement la chance et continue de plus belle:

– Mais il y a si longtemps que Bénouk est le héros. Tu ne crois pas qu'il serait tout à fait normal que ce soit maintenant à toi d'être aimée, admirée, louangée par des milliers et des milliers de jeunes? Que tu ne sois plus celle qui ne fait qu'applaudir un héros *mais celle qu'on applaudit?*

Abandonnant les mains de Cirandella, Zappi hausse le ton et poursuit son plaidoyer ponctué de grands gestes enthousiastes:

– ... On ne parlera plus que de Cirandella, la grande Cirandella, celle qui sauva la terre. Je te doterai de pouvoirs extraordinaires. Tu seras la reine des Galaxies! Qu'en dis-tu, Cirandella, ma fille?

* * *

La sonnerie du téléphone interrompt John à nouveau.

– Excuse-moi.

Je regarde ma montre:

«Minuit trente! Qui peut bien l'appeler si tard?» Je suis intrigué par ce deuxième appel. Aussi, je prête un peu plus attention à la conversation que tient John au téléphone:

– Oui, je comprends, mais il me semble que ma renommée est suffi - sante pour que vous tentiez un essai, non?

Je crois comprendre qu'il parle à un éditeur. Pourtant, à la réflexion, je me convaincs que je suis dans l'erreur: «Quel éditeur refuserait de publier un auteur de BD aussi célèbre?»

— Bon, ça va! Ça va? N'en parlons plus!

Il raccroche vivement. Sans être vraiment en colère, je décèle dans son regard un vif désappointement.

— Où en étais-je déjà?

— Tu as offert à Cirandella de remplacer Bénouk: de devenir la reine des Galaxies.

— Ah oui!

• Si notre père est idiot, ce n'est pas une raison pour l'être, nous aussi!

Zappi est fier de sa performance. Il connaît fort bien Cirandella, sa fille: elle ne refusera pas de devenir la reine des Galaxies. Il attend sa réponse avec confiance.

— Qu'est-ce que tu en dis, ma fille?

— Je dis que... tuer son fils, c'est horrible!

Le ton de Cirandella est dur: son

76

regard aussi. À nouveau, les remords assaillent Zappi.

– Mais Bénouk n'est pas vraiment mon fils.

– Alors, arrête de m'appeler *ma fille*.

– Voyons, Cirandella...

– De toute façon, je ne veux pas prendre la place de Bénouk.

– Tu ne veux pas devenir une grande héroïne?

– En jouant le même rôle que Bénouk? Non, merci! Aucun intérêt! Si je suis remontée jusqu'à toi, Zappi, c'est pour que tu sauves Bénouk. Je t'en prie, redonne-lui ses pouvoirs!

– Jamais!

Les yeux de Cirandella sont tristes. Elle détourne son regard en direction de l'album géant.

– Où vas-tu?

– Aider Bénouk.

– Je te l'interdis! Après tout, j'ai bien le droit de décider ce que je veux. Je suis l'auteur! Votre créateur!

– Si notre père est idiot, ce n'est pas une raison pour l'être, nous aussi!

– CIRAND...

En toute hâte, Zappi se voile les yeux de ses mains. Il ne doit pas perdre connaissance, cette fois. Pourtant, le choc est grand. Il a la sensation d'être complètement écrasé par ce jet lumineux qui fuse de l'album comme un éclair. L'intensité du faisceau de lumière le terrasse à nouveau. Mais son geste pour se protéger lui a été bénéfique: il est toujours conscient. Heureusement! Cirandella est retournée dans la bande dessinée. En toute hâte, Zappi retrouve sa table de travail.

– Vite! Avant qu'elle ne tente de bousiller mon idée géniale!

Zappi n'a plus qu'une idée en tête: Mercuron tue Bénouk qui, avant de mourir, transmet tous ses pouvoirs à Cirandella, la nouvelle héroïne. Il la fera puissante, séduisante. Tout à fait moderne!

«Elle fera bien ce que j'ai décidé de lui faire faire!» fulmine Zappi, dont le crayon arpente sans arrêt cette planche qu'il veut terminer coûte que coûte. Il revoit Bénouk sous Mercuron.

Le combat est perdu pour Bénouk. Le monstre, chevauchant son ennemi juré, prend un malin plaisir à savourer ce moment tant attendu. Le glaive soulevé prêt à foudroyer la victime, Mercuron laisse échapper un rire épouvantable.

BÉNOUK: Cirandella? Cirandella? Je t'aime!
MERCURON: Quel héros tu fais, Bénouk: «Cirandella? Cirandella? Je t'aime.»

Mercuron se moque.

Zappi est satisfait de cette scène. Il murmure «Magnifique! Magnifique!» Il s'excite et rédige. Ses personnages déclament ce qu'il écrit dans ses bulles.

CIRANDELLA: Bénouk! Je suis là...

Zappi écrit: «Adieu mon amour!»

CIRANDELLA: ...

Zappi se crispe et crie à tue-tête:
«Adieu, mon amour!»

Cirandella ne répond plus.

– Adieu, mon amour! Adieu, mon amour!

Zappi, la rage au cœur, crayonne et recrayonne ces trois mots sans arrêt sur sa feuille. Hors de lui, il les hurle. Son monde lui fait faux bond. Il a la pénible sensation que son cerveau se transforme en marteau-pilon. Sa tête résonne de toute part. Un tintamarre indescriptible envahit son corps. Puis, l'appartement tout entier. Il croit mourir. Mais la réalité est tout autre: une nouvelle masse est projetée hors de l'album géant. Une masse énorme, grouillante. Une masse qui se dédouble. Une masse à multiples jambes, à multiples bras. Trois corps qui se déforment, se reforment. Trois êtres en un. Trois êtres qui se frappent. Qui se battent.

– Chela curronner! Chela curonner!

– J'ai le ertu! J'ai le ertu!

– Te sauvoi, Delleranci! Te sauvoi, Delleranci!

Zappi s'est réfugié dans un coin.

Il tremble de peur. Il reconnaît ses trois personnages.

Le combat s'intensifie. Les trois se bousculent et roulent, accrochés l'un à l'autre, en direction de Zappi qui n'ose plus bouger. Il est coincé.

– Le lâche, Ronmercur!

– Je vais le ertu!

– Sauve-toi, Carandella! Mes forces remeviennent.

– Je ne peux va que tu meurs, Bénouk!

– Bénouk! Tu es nifi! NIFI! NIFI!

– Pas encore, Curonner!

– Bénouk! Aille!

– Cirandella! Sauve-toi!

– Non! Non! Je t'aime! Je t'aime!

Dans le feu de l'action, Mercuron s'est détaché du trio, prêt à réattaquer. Aucun des personnages ne s'est encore aperçu qu'il a atterri chez Zappi. Le monstre va bondir sur sa proie, persuadé qu'il s'agit de Bénouk:

– AH! NON! NON! NON! ARRÊTEZ! JE SUIS ZAPPI! JE SUIS ZAPPI! JE SUIS...

* * *

– ... ZAPPI!

– John? John?

John Ludvic se calme.

– Excuse-moi, Jacques. Je ne sais pas ce qui m'a pris de... mais, rien que de revoir ce monstre qui me dévisageait avec une haine incroyable... un monstre que je dessinais pourtant depuis des années... un monstre que les enfants trouvaient même sympathique...

«Bizarre», je me dis. «Pourquoi parle-t-il de son monstre au passé? Comme s'il n'existait plus.» Mais tout de suite je reporte mon attention sur John et lui suggère:

– Tu veux peut-être arrêter de me raconter...

– Non! Au contraire...

Mon ami se lève.

– Tu ne voudrais pas une bière, par hasard? Ma réserve de jus de légumes est à sec.

Je ne prends jamais d'alcool quand je travaille; un vieux principe hérité de mon père qui avait travaillé toute sa vie dans une brasserie. Pourtant, comme j'avais la gorge sèche... et que je n'étais pas vraiment en train de travailler mais plutôt à l'écoute d'un ami:

– Oui, une bonne bière froide, ça ne fera pas de tort.

John s'en va chercher nos bières pendant qu'un étrange malaise s'empare de moi. Assis dans le fauteuil, je fixe sur la couverture de l'album géant le fameux monstre, habité par le stupide sentiment qu'il m'épie.

– Ne t'inquiète pas, Jacques, il n'est pas méchant.

John avait remarqué mon regard sur Mercuron et deviné mon embarras.

– Tu me rassurerais davantage si tu me disais qu'il n'est pas vivant.

Mon ami rit de bon cœur. Je prends la bière qu'il me tend. Il me répond finalement:

– Écoute la suite, elle va t'intéresser, j'en suis sûr.

• Comment aimer un monstre?

– Mais... qui est-ce?

Le monstre vient de découvrir que la victime sur laquelle il est sur le point de bondir n'est pas Bénouk.

– Je suis Za-Za-Zappi! Pitié, Mer-curon!

Effrayé par l'apparition subite de cet être étrange au crâne dégarni et qui, par surcroît, connaît son nom, Mercuron se fige sur place. Puis, d'un œil rapide et inquiet, il jette un regard autour de lui.

– Mais… où… où suis-je?

– Sur terre, Mercuron. Sur terre!

Mercuron fait volte-face. Il aper-çoit Bénouk et Cirandella. Complète-ment désorienté, ahuri, le monstre promène son regard sans arrêt entre Bénouk, Cirandella et Zappi.

– Mercuron, voici ton père!

Bénouk pointe du doigt Zappi, tout petit, recroquevillé dans son coin.

– HEIN!!! Mon… mon père?

– Oui. Zappi, ton père. *Notre* père! Le créateur… l'auteur qui nous a mis au monde, toi, Cirandella et moi. En même temps.

– Mis au monde? Nous trois? En même temps?

Mercuron semble désemparé. Il fixe soudainement Cirandella afin qu'elle vienne à sa rescousse. Ciran-della le rassure:

– Oui, Bénouk dit la vérité.

– Nous sommes sortis de sa tête.

À ces mots, Mercuron écarquille les yeux. Lentement, il retourne vers Zappi toujours plongé dans son mutisme. D'un geste vif, le monstre lui agrippe la tête, la tripote, en scrute tous les orifices: oreilles, narines, bouche...

– Par où? Par où?... Sa tête est bien trop petite!

Cirandella intervient aussitôt avant qu'il n'écrase la tête de Zappi:

– De son imagination, Mercuron! De son esprit! De sa tête!

Bénouk, qui s'est rendu en vitesse à la table de travail de Zappi, lance vivement:

– Il nous a dessinés, Mercuron! Viens voir!

Le monstre, intrigué, quitte Zappi et, craintif, s'approche de la table.

Cirandella et Bénouk respirent mieux. Et que dire de Zappi!...

– Regarde, Mercuron, regarde: il nous a dessiné un corps. Une tête...

– AHHHHH!!!

Le monstre hurle d'horreur. Pris

d'une folie subite, un bras cachant ses yeux, il se projette loin de la table. Bénouk, Cirandella et Zappi sont saisis de frayeur.

– Mais... mais qu'est-ce que tu as, Mercuron?

Bénouk n'y comprend rien et jette un coup d'œil en direction de Cirandella, stupéfaite, qui ajoute:

– Tu as peur des dessins?

Le monstre, encore sous le choc, fait signe que oui de la tête.

– Toi, le roi de Mercurochrome?

Bénouk regrette aussitôt ce qu'il vient de dire avec un brin d'ironie.

Le monstre ne porte aucune attention à sa remarque et, de sa voix rauque, avoue avec candeur:

– C'est que... c'est que dans ses dessins, IL Y A UN MONSTRE!

Les regards de Bénouk et de Cirandella se croisent alors que Zappi voudrait bien pouvoir se transformer en souris pour disparaître par le premier petit trou.

– Euh... oui...

Bénouk est embêté au plus haut point. Il porte à nouveau les yeux sur les dessins.

– Donc, Mercuron, tu ignorais que... que...

– Je n'ai jamais vu une horreur pareille! JAMAIS!

Remarquant le miroir placé juste derrière Mercuron, d'une voix compatissante, Cirandella lui suggère:

– Alors... euh... surtout, ne te retourne pas.

Aussitôt dit, aussitôt fait: Mercuron s'est retourné.

Bénouk et Cirandella retiennent leur souffle.

Mercuron se voit dans la glace et reste paralysé. À mesure qu'il prend conscience de la vérité, seuls quelques petits gestes trahissent son désarroi.

Bénouk et Cirandella réalisent qu'il pleure tandis que Zappi ne comprend plus rien, ne pouvant admettre qu'un monstre pleure...

– Tu sais, Mercuron, Cirandella et moi, nous sommes habitués à te voir... tel que tu es.

– Oui. Bénouk a raison. Nous ne t'aimons pas, Mercuron, mais... c'est pas à cause de ça.

– NON! Seulement parce que tu

nous empêches de prendre la pierre du Sphynx, notre seul moyen de trouver la terre.

– D'AILLEURS, TA LAIDEUR N'EN EST PAS UNE!

Mercuron, Cirandella et Bénouk sursautent; leur attention se porte entièrement sur Zappi qui vient de sortir de son silence et qui, avec prudence, se relève. Sa voix tremble puis, un peu plus rassuré, il continue de s'adresser à son monstre, approchant d'un pas ou deux.

– Tous les habitants de Mercurochrome que l'on découvrira dans le prochain album seront comme toi…

– TOUS DES MONSTRES!!!

Fou de rage, Mercuron se précipite sur Zappi, qui s'écroule sous le monstre. Cirandella et Bénouk se jettent sur leur ex-ennemi juré pour éviter le pire.

– Arrête! Arrête!

– Non! Mercuron! NON!

Rien à faire, les deux personnages ne parviennent pas à les séparer. C'est alors que Bénouk hurle:

– SALE MONSTRE, ARRÊTE!

Mercuron, les yeux flamboyants,

se retourne vers Bénouk.

– Oui, oui, sale monstre tu es et tu resteras! Tu es sorti de l'album et tu continues à jouer ton rôle: tu veux encore tuer. C'est maintenant que tu peux lui prouver que tu n'es pas un monstre... LÂCHE-LE!

Mercuron fait entendre son rire monstrueux:

– Encore le beau rôle pour Bénouk... *le héros qui parle*.

– Bénouk a pourtant raison, Mercuron: ça ne te donnera rien de tuer Zappi.

– Mais, Cirandella, tu as vu comment il m'a créé?

Plus sensible aux conseils de Cirandella qu'à ceux de Bénouk, Mercuron relâche Zappi, qui se réfugie un peu plus loin et lance pour sa défense:

– Les jeunes aiment les monstres!

Mercuron ne réplique pas. Il se retire près du lit et, après un moment, avoue:

– Les jeunes, peut-être. Mais... pas Cirandella. C'est elle que j'aime.

Découragé, Zappi réagit sur-le-champ:

– C'est impossible! Je le saurais: c'est moi qui invente l'HISTOIRE! Et jamais tu n'as été amoureux de Cirandella.

– Dans ta tête d'auteur, non, mais dans mon cœur, oui. Dès que j'ai vu Cirandella, j'ai voulu lui plaire...

Cirandella et Bénouk échangent un regard: ils n'osent pas intervenir.

– ... Mais avant même que je ne lui aie dit un seul mot, j'ai tout de suite senti que Cirandella me détestait. Comment pouvait-il en être autrement?... COMMENT AIMER UN MONSTRE?

Étonnés, émus, Bénouk et Cirandella voient Mercuron s'emparer du couvre-lit et s'en couvrir tout le corps, demeurant là, immobile comme une statue.

* * *

– *En quelque sorte, Jacques, le monstre... c'était moi.*

Dans ma tête, je pense que John n'est pas sans reproches dans toute cette affaire. Il n'a pas fait preuve de beaucoup de compréhension à

*l'égard de ses personnages. «Mais
dans la même situation, aurais-je
fait mieux?» Je suis loin d'en être
persuadé.*

*– Tu sais, John, même les
adultes aiment les monstres.*

John a le sens de l'humour.

*– Et je vais encore te faire rire,
Jacques...*

• Une grenade à retardement!

Dès que Mercuron se dissimule
sous le couvre-lit, Cirandella se
plaint d'un mal de ventre. Les trois
personnages de Zappi s'inquiètent
de ce malaise mystérieux.

– Qu'est-ce qui se passe, Cirandella?

Bénouk s'approche d'elle; Mercuron est sorti de sa cachette.
Jamais ils n'ont connu de situation
semblable.

– Voyons, ce n'est rien! Ce n'est
rien! Elle a faim, c'est tout.

– Faim?

Bénouk interroge Zappi de son
regard; ce dernier, maugréant, se
dirige vers la cuisinette.

– Oui, oui: faim! Elle a faim!

Il prend une pomme dans le panier de fruits sur la table et revient vers ses personnages; comme il tend la pomme à Cirandella, il sent sa main prise dans un étau et la pomme lui échapper: Mercuron vient de la lui soutirer. Le monstre, sur un pied de guerre, la tient maintenant dans sa main comme s'il s'agissait d'un explosif; il s'est placé entre Cirandella et Zappi.

– Attention, Cirandella, c'est peut-être un piège!

Et continuant de fixer la pomme, Mercuron poursuit:

– Oui, un truc des Terriens pour endormir. Pour nous rendre esclaves de leurs désirs.

Zappi reste estomaqué. Et pour faire de l'ironie, il leur avoue, tout sourire:

– Oui... c'est une grenade à retardement!

* * *

– *Et ils t'ont cru?*
– *Oui. Les pauvres... Tu aurais*

dû voir la panique sur leur visage.
Tout de suite, j'ai tenté de les calmer.
Mais, rien à faire! J'ai dû aller chercher une autre pomme et la croquer
devant eux... ils se sont bouché les
oreilles, fermé les yeux...

– Puis?

– Puis? Ils se sont rendus à l'évidence, et ils ont bouffé toutes mes
pommes.

Aussitôt, avec un certain effroi, je
me rappelle le panier sur la table de
mélamine, rempli de cœurs de pommes en décomposition; ce panier avait
attiré mon attention quand j'étais
entré dans l'appartement de John.

Le panier est toujours sur la
table...

– J'ai même dû les avertir de
manger plus lentement pour ne pas
être malades: ils y allaient comme
de vrais enragés.

– Ils t'ont écouté?

– Pas du tout. Sauf que j'ai dû les
rassurer quand Mercuron, le plus
vorace, s'est brusquement arrêté et a
dit aux deux autres d'en faire autant.

– Il avait peur de quoi? D'être
malade?

– Non. D'éclater! Et j'en fus quitte
pour leur expliquer le fonctionnement
de notre système digestif... de A à
Z... de la dentition... au trou du cul.

J'ai une envie folle d'éclater de
rire. J'en suis pourtant incapable: le
panier de cœurs de pommes décomp-
osés me revient à l'esprit. Je sens
les battements de mon cœur.

• On ne se laisse plus faire!

– Pas trop vite! Vous allez être
malades!

– C'est quand on ne mange pas
qu'on est malade!

– Oui, c'est toi qui l'as dit.

Rassurés par Zappi qu'ils n'allaient pas éclater, les trois personnages s'étaient remis à manger les
pommes à un rythme effréné.

Fatigué, Zappi, qui en a ras le
bol des facéties de ses personnages,
juge à propos de mettre un terme à
cette situation ridicule. Il élève la
voix pour affirmer son autorité.

– Bon! Ça suffit! Tout ça, ce ne
sont que des enfantillages! Vous
allez immédiatement retourner dans

la bande dessinée. VOUS ÊTES DES PERSONNAGES, PAS DES HUMAINS!

La bouche pleine, Mercuron retrouve aussitôt ses airs de monstre; il défie à nouveau son créateur:

– Je ne suis pas un monstre! Plutôt que de retourner vivre sur une planète de monstres, je préfère rester ici!

Avant que Zappi tente de répliquer, son monstre a fait demi-tour. Il retourne se réfugier sous le couvre-lit.

Silence de mort.

– Et si Zappi redessinait Mercuron?

La voix de Cirandella illumine l'esprit de Bénouk...

– Redessiner Merc... mais oui! Bonne idée, Cirandella!

– Oh oui!

Mercuron a relevé un bout de la couverture; d'une voix suppliante, il continue:

– Oh oui! Me dessiner un visage... comme vous deux.

– Oh! Oh! Oh! J'ai besoin d'un monstre, moi!

Zappi s'interpose alors que, d'un geste de dépit, Mercuron rabat le couvre-lit sur sa tête.

– En tout cas, Zappi, ça ne m'intéresse plus de tuer des monstres ou quoi que ce soit d'autre!

C'est au tour de Bénouk de le défier; puis, Cirandella:

– Moi, non plus!

Zappi sent que la situation s'envenime et qu'il lui faut redoubler d'ardeur. Mais plus il multiplie les efforts, plus la lassitude semble le gagner. Comme s'il avait la conviction que la partie est perdue d'avance. NON! se crie-t-il en lui-même... NON! TOUT ÇA N'EST QUE FICTION! SI JE ME BATS, TOUT REDEVIENDRA COMME AVANT!

Zappi reste calme et s'efforce de rétablir avec tact le dialogue avec Bénouk et Cirandella. Reconquérir leur confiance.

– C'est ça: vous ne voulez plus tuer... qui que ce soit, quoi que ce soit... mais qu'est-ce que je vais vous faire faire, moi?

La réponse de Bénouk ne tarde pas à venir:

– Des enfants!

Zappi a envie de se prendre la tête à deux mains tellement il est découragé. Il se retient. Mais il n'en est pas au bout de sa peine.

– Oh oui! Des enfants, ce serait bien! renchérit Cirandella.

«Ils veulent faire des enfants!» se dit tout bas Zappi, voyant ses dessins se transformer en une bande dessinée érotique.

– Au fait, Zappi, comment on fait ça des enfants?

– Oui. Comment?

– J'aimerais faire autre chose que de me battre.

Zappi cache bien son angoisse derrière son sourire. À tout prix, il doit ramener ses personnages à la raison:

– Bénouk, mon fils, ce n'est pas en faisant un enfant que tu vas continuer d'être un héros.

– Pourquoi?

– Tout le monde le fait!

– Je ne peux jamais faire ce que tout le monde fait?

–Non! Et de toute façon, même si je vous montrais comment faire un enfant, Cirandella et toi, vous ne pouvez pas faire d'enfant ensemble: vous êtes frère et sœur.

– Pourquoi?

«Tu commences à me tomber sur les nerfs», pense Zappi, sans perdre le sourire. Son apparente bonne humeur se dissipe quand Bénouk ajoute:

– Un frère et une sœur ne peuvent faire d'enfant parce qu'il leur manque quelque chose que les autres ont?

– NON!

Zappi a élevé la voix. Mais il se reprend tout de go:

– Non, c'est que...

Et là, embêté par la réponse à donner, Zappi craque et clame tout haut:

– Sur terre, c'est comme ça: un frère et une sœur ne peuvent pas faire d'enfant ensemble! Un point, c'est tout! Un point, c'est tout!

Sur le même ton, Bénouk riposte du tac au tac:

– Et comme ça, Cirandella et moi, nous ne pouvons pas tuer Mercuron, NOTRE FRÈRE! Car il est

98

bien notre frère: nous avons tous trois le même père: TOI, ZAPPI! Un point, c'est tout! Un point, c'est tout!

– Mais oui, c'est vrai ce que Bénouk dit: Mercuron est notre frère, mon frère!

Zappi sort de ses gonds en s'adressant à Cirandella:

– Toi que j'ai faite si jolie, tu ne peux pas être la sœur d'un aussi...

Un rugissement jaillit de sous la couverture. Le monstre a soulevé une partie du couvre-lit et fixe Zappi, qui s'est arrêté net.

– ... la sœur d'un aussi laid personnage? C'est ça, Zappi? Termine ta phrase!

Bénouk fulmine de colère et s'approche de Zappi.

– Tu as raison. Tout à fait raison, Zappi!

Il agrippe Zappi par les deux épaules, le soulève de terre et va le déposer face à sa table de travail.

– Et c'est pourquoi tu vas faire de Mercuron un être comme nous!

Zappi, planté devant sa table à dessin, décide de révéler le fond de sa pensée:

– Vous… vous êtes fous!

– OUI! Fous par ta faute, Zappi! Dans tes histoires, je deviens fou de rage rien qu'à parler de Mercuron alors qu'au fond… je ne lui veux pas de mal, moi. C'est terminé: ON NE SE LAISSE PLUS FAIRE!

– Bénouk, comprends donc que sans monstres, sans violence, il n'y a plus d'albums. Il n'y a plus rien!

– Il y aura nous trois!

L'attention de Zappi et de Bénouk est attirée par Cirandella qui vient de s'immiscer dans leur débat; sa voix, d'abord timide, se fait maintenant autoritaire:

– Vas-y, Zappi, transforme le visage de Mercuron!

– Et ne m'oblige pas à me servir de ma force.

Zappi le savait depuis le début; il est à la merci de ses personnages.

– Lui changer le visage, ça peut lui faire mal. Très mal!

Zappi ne joue plus.

– Jamais aussi mal que lorsqu'il se regarde dans un miroir.

– Cirandella a raison…

Et Bénouk demande alors à

Mercuron, qui est toujours sous la couverture:

– ... Tu es d'accord, Mercuron?

Après un instant, Mercuron acquiesce d'un mouvement de tête.

– Bon...

Zappi se met à l'ouvrage.

* * *

– Incroyable!

«Tu parles d'une histoire!»

Et ce fameux panier de cœurs de pommes qui me revient encore à l'esprit... et cet interrupteur brisé... et cette égratignure à la joue de John... et, et, et... et CES VOIX QUE J'AI ENTENDUES AVANT DE FRAPPER À LA PORTE?

– John?

– Oui?

– ... Non. Laisse... Continue.

• **Je suis beau! Je suis beau! Je suis beau!**

Zappi, à sa table, redessine le visage de Mercuron.

Le monstre sous le couvre-lit se

met à gémir. Engagé dans un combat contre la douleur, il se contorsionne sans arrêt. Ses gémissements sont de plus en plus fréquents, de plus en plus forts, d'une atrocité qui fait regretter à Bénouk et à Cirandella leur idée de transformer le visage de leur ami.

Zappi fait de son mieux et accélère le rythme. Il ne peut plus reculer. Tout comme pour Bénouk et Cirandella, des frissons lui parcourent le corps quand il entend Mercuron émettre de longues plaintes.

Bénouk et Cirandella entourent maintenant leur ami avec leurs bras car ils craignent qu'il n'aille se frapper contre le mur. Eux qui ont vécu tant d'aventures horribles, ils n'ont jamais ressenti de douleur aussi insoutenable. Ils ne se sont jamais retrouvés aussi démunis qu'en ce moment alors qu'ils souhaiteraient plus que tout au monde secourir leur ami en pleine crise. Soudain, sous la couverture, Mercuron se calme. Bénouk et Cirandella desserrent leur étreinte. Ils se tournent vers Zappi tout en sueur.

– Ça y est!

Zappi, en vitesse, quitte sa table qu'il heurte au passage.

Au même moment retentit un cri de mort sous la couverture. Mercuron échappe aux mains de Bénouk et de Cirandella et va se heurter durement contre le mur. Il s'affaisse, ne bouge plus.

Bénouk, tout comme Zappi, demeure à l'écart, abasourdi. Cirandella, plus audacieuse, s'avance jusqu'au monstre dont le visage reste toujours voilé sous le couvre-lit. Lentement, elle tire la couverture vers elle.

HORREUR!

Le visage de Mercuron est d'un bleu-noir, sans nez ni bouche, rien d'un visage humain. Sa vue est répugnante.

– Zappi! Qu'as-tu fait?

– Bénouk, je te jure, je n'y comprends rien!

– C'est toi, le monstre!

– Je n'y suis pour rien!

Pendant que Cirandella, atterrée, recouvre Mercuron, Zappi se précipite à sa table de travail en voyant que Bénouk veut l'étrangler.

– Viens voir! Viens voir, Bénouk!
Je te jure, je l'ai dessiné comme...

Zappi s'immobilise, les yeux
braqués sur son dessin.

– AH! QUEL GÂCHIS!

Bénouk l'a rejoint et constate à
son tour l'épouvantable dégât: le dessin de Zappi complètement maculé
d'encre parce que celui-ci, dans sa
hâte, a renversé sa bouteille.

– Tout s'explique!

Et dans un geste nerveux, Zappi
jette par terre tout ce qui se trouve
sur sa planche à dessins, prend une
nouvelle feuille et, sous l'œil attentif
de Bénouk, recommence à dessiner.

Cirandella voit aussitôt Mercuron
reprendre vie. Le couvre-lit qui le
dissimule recommence à s'agiter. Il
se plie, se déplie. Cirandella tente
d'enlacer Mercuron qui se lamente
de plus belle et qui, d'un geste
brusque, la projette jusqu'au pied
du lit. À nouveau, Mercuron se tord
de douleur. La scène redevient
insupportable. Bénouk a rejoint
Cirandella; serrés l'un contre l'autre,
ils regardent leur ami se débattre.

Tout à coup, Zappi, dont les nerfs flanchent, lance ses crayons et bondit de sa table de travail; il a terminé!

Tous fixent le couvre-lit. Peu à peu, ils voient Mercuron cesser de gémir et le couvre-lit retrouver son amplitude.

Personne ne bouge.

Après quelques secondes qui semblent une éternité à Bénouk, à Cirandella et à Zappi, la couverture glisse en douceur sur le côté. Chacun retient son souffle.

Et c'est l'apparition d'un Mercuron transformé. Métamorphosé. Son visage est celui d'un humain MAIS dont le menton avance de façon exagérée; dans son énervement, Zappi n'a pu maquiller ce défaut très apparent.

Silencieux, embarrassés, Bénouk et Cirandella n'ont de yeux que pour ce menton.

Mercuron est terrifié. Il voit ses amis qui le regardent curieusement: il a un autre visage. MAIS DE QUOI A-T-IL L'AIR? Il se retourne et se rend jusqu'au miroir. Il s'y regarde longuement.

Bénouk et Cirandella se lancent un regard inquiet; quant à Zappi, c'est tout juste s'il parvient à tenir debout.

Le moment est critique.

– WAAAAAHHH!!!

Fou de joie, Mercuron crie, bondit, rebondit, saute par-dessus le lit, roule par terre.

– WAHHHH!!! Je suis beau! Je suis beau! Je suis beau!

Soulagés, heureux, Bénouk et Cirandella se sourient; Zappi s'assoit; il retrouve petit à petit une respiration normale tandis que son nouveau personnage poursuit ses pirouettes dans toute la pièce, sans oublier au passage d'embrasser Cirandella qui rit aux éclats:

– Tu es fou! Tu es fou! Tu es fou!

– Je m'en fous! Je m'en fous! Je m'en fous! Je suis BEAU!

Et Mercuron, malgré son fameux menton, devient vraiment beau aux yeux de Cirandella et de Bénouk qui se joignent à leur frère.

– Tu es beau comme un cœur! crie Cirandella.

– Oui, beau comme un dieu!

renchérit Mercuron qui saute de joie comme un kangourou. Je suis heureux, Bénouk! Heureux!

– Je n'avais pas remarqué, blague Bénouk.

– Je t'aime, Bénouk!

– Moi aussi! Après nous être tant haïs, ça fait drôle...

– Ça fait du bien, surtout!

Mercuron entoure de ses deux bras Cirandella et Bénouk et leur avoue:

– Vous serez toujours mes héros préférés!

Cirandella de répliquer:

– On va former un trio fou, fou, fou!

Et Mercuron de rappliquer:

– BEAU! BEAU! BEAU!

Et Bénouk de conclure:

– Ça dépend pour qui!...

Tapis dans un coin, Zappi sent que ses trois personnages l'observent; puis, il voit alors Mercuron s'avancer vers lui et lui dire simplement:

– Merci, Zappi! C'est le plus beau moment de ma vie!

*   *   *

— *Et la mienne est finie! leur ai-je dit.*

John n'a aucune amertume.

— *Tu vois, Jacques, aussi bizarre que cela puisse paraître, j'étais à la fois ravi et consterné. Le bonheur de mes personnages me faisait plaisir. Pourtant, d'un autre côté, je savais, moi, que ma vie d'auteur était finie.*

• On est prêt à tout faire pour toi!

— Au contraire, Zappi!

Cirandella, enthousiaste, s'assoit par terre à côté de son père et poursuit:

— Maintenant que nous sommes tous les trois heureux...

— Bien dans notre peau, intervient fièrement Mercuron.

— ... Tu vas pouvoir nous faire faire plein de choses extraordinaires!

— Que les enfants vont aimer, jubile Mercuron.

— Oui! Plein de choses folles, là! ajoute Bénouk en liesse.

108

Zappi lève la tête et, après une hésitation, leur demande:

– Lesquelles?

– Bien... euh...

Mercuron, le plus emballé des trois, ne trouve plus les mots pour répondre. Pris de court par cette question, il se retourne alors vers ses amis et constate que leur embarras est aussi grand que le sien. Il se sent bien petit soudainement.

Mais Cirandella sauve la situation.

– Tu vas en trouver des idées, Zappi, je suis certaine!

– Après tout, c'est toi l'auteur.

Zappi écarquille les yeux et son étonnement s'accroît lorsqu'il entend Mercuron lui rappeler tout naïvement:

– Oui! Nous, nous ne sommes que des personnages.

«De bien drôles de personnages!» se dit Zappi. Mais il n'est pas au bout de ses surprises.

– On est prêt à tout faire pour toi!

Bénouk s'est enflammé en prononçant ces mots.

– OUI! de répliquer en chœur Cirandella et Mercuron. À TOUT FAIRE!

– À tuer des monstres?

– NON! s'entend répondre Zappi à sa question.

– À tuer des bêtes?

– NON!

– À tuer?

– NON!

– C'est ma mort, conclut Zappi.

– NON! répètent en chœur ses personnages.

Bénouk tente de convaincre Zappi:

– Avec ton imagination, avec ton expérience comme auteur, tu trouveras bien des choses intéressantes, captivantes, à nous faire faire?

– Sans monstre? Sans violence?

«Mes personnages sont comme tous les enfants, se dit Zappi, beaux mais d'une naïveté»... naïveté qui ne fait que s'imposer davantage lorsque ceux-ci, tout radieux, répondent:

– Pourquoi pas?

– Des personnages fous comme nous, ça devrait te donner plein d'idées!

– Comme celle de nous faire faire des enfants, peut-être?

– Ou dormir!

– Ou manger!

– Les jeunes vont adorer nos histoires!

Zappi aimerait bien qu'ils disent vrai. Lui aussi, au fond, préférerait de beaucoup amuser les jeunes en s'amusant lui-même avec ses personnages. Et encore plus aujourd'hui que jamais, car il a cette chance extraordinaire de les avoir là, à ses côtés, en chair et en os. «Quel auteur chanceux, je suis!» se surprend-il à songer. Il va pleurer. NON! Il ne peut pas!

Au lieu de ça, Zappi rétorque:

– Mes enfants, aucun, aucun, aucun éditeur ne voudra publier de telles histoires...

*   *   *

– *Quoi?*

Je ne peux retenir ma surprise.

– *Les... les téléphones de tantôt... c'était donc ça? John, tu cherches un éditeur pour...*

Je ne sais si c'est par peur du ridicule, mais je n'arrive pas à formuler ma question. De toute façon, elle est claire pour John.

– Oui.

Je suis stupéfait.

– Tu... tu as donc décidé de te ranger du côté de tes personnages?

Mon ami acquiesce de la tête.

– Et j'en suis très fier!

Comme je n'arrive plus à dire un mot, John termine son histoire.

• *Tu vas réussir!*

– Zappi, tu n'as qu'à les convaincre, les éditeurs.

– Tu es connu.

– Oui! Et avec ta grande imagination, tu vas réussir!

– Oui! Tu vas réussir!

Zappi ne veut plus retenir leur bel enthousiasme; il les laisse faire.

– Et tu sais, papa, tu peux toujours compter sur nous!

– Toujours!

* * *

– Et tu vois, Jacques, pas une seconde mes personnages n'ont douté de moi qui leur donne vie par la BD... J'étais réduit à leur merci tout comme eux pouvaient l'être à mon égard.

Je comprenais très bien John: d'une part, mon ami ne pouvait plus continuer à écrire À la recherche de la terre perdue, sans monstre, sans violence. De toute façon, Bénouk, Cirandella et Mercuron ne se laisseraient plus jamais faire. D'autre part, si mon ami John optait pour une autre solution, celle de créer de nouveaux personnages et une nouvelle BD, il tuerait Bénouk, Cirandella et Mercuron par le fait même, les condamnant à ne plus vivre aucune aventure.

– Et tu n'arrives pas à trouver d'éditeur?

– Non... bien entendu.

Et là-dessus, John me pose la question piège:

– Et toi, pour ton journal, tu vas écrire mon histoire? Telle que je te l'ai racontée.

3

Quelle histoire!

Il est 5 h 30 du matin. Il fait gris, humide. Une légère bruine tombe de façon intermittente depuis douze heures sur la ville, déserte à cette heure-là.

J'en suis à mon troisième café que je sirote dans un petit restaurant, tout près du port, ouvert vingt-quatre heures sur vingt-quatre. Dans un coin, la serveuse joue aux cartes avec un individu qui pourrait bien être le concierge, le plongeur, le cuisinier ou encore le propriétaire de l'endroit. Depuis une heure, pas un seul client n'est venu les déranger. Heureusement! Car lorsque j'ai demandé à la dame de réchauffer mon café pour une seconde fois:

– UNE MINUTE! qu'elle avait rugi.

Et cinq longues minutes plus tard, elle me reversait du café âcre dont la seule qualité était de me garder bien éveillé.

Alors que je longeais le fleuve, revenant de chez mon ami John, j'avais remarqué ce petit havre de paix. Et comme j'avais bien besoin de faire le point sur les événements que je venais de vivre quelques heures plus tôt, je m'y étais arrêté. Puis, après un premier café, j'avais décidé d'y passer encore une heure ou deux avant de me rendre directement à mon journal au lieu de retourner chez moi, dans le nord de la ville. La perspective de passer une nuit blanche me plaisait davantage que celle d'aller dormir une heure ou deux à la maison avant de revenir au centre-ville en plein trafic, car je devais couvrir une conférence de presse à 9 h à l'hôtel de ville au sujet d'une exposition internationale de sculpture. Je passerais au bureau vers 6 h pour y faire un brin de toilette et préparer mes dossiers des prochains jours qui s'annonçaient très remplis.

Pourtant, mes préoccupations du moment étaient tout autres!

J'étais là à fixer le café comme si je visionnais le vidéo de mon départ de chez John; nous nous étions quittés sur une bien étrange note. Je revoyais les derniers instants de ma visite dans ses plus petits détails:

– Bon, je crois que je ferais mieux d'y aller maintenant. J'ai une conférence de presse, très tôt.

John comprend aussitôt que je ne veux pas répondre à sa question: vais-je écrire ou pas un article sur son histoire?

Loin d'insister, celui-ci convient:

– Oui, tu as raison. Il est déjà plus de 3 h 30. Je t'ai déjà trop retenu avec... mes histoires.

Avec «ses histoires», plein de

questions me trottent dans la tête. J'aimerais bien les lui poser. J'hésite. Mes interrogations me semblent aussi difficiles à exprimer que son histoire. Puis, avant de le quitter, je prends mon courage à deux mains et je me jette à l'eau:

– Dis-moi, John, quand je suis arrivé chez toi, en début de soirée, j'ai cru entendre des gens qui discutaient avec toi.

– ... C'est possible.

– ... C'était... c'était eux?

– Oui.

Nous parlions, bien sûr, de Bénouk, Cirandella et Mercuron.

– Ils n'étaient donc pas retournés dans la BD, comme ton histoire me le laissait croire?

– Oui.

– ???

– Jacques, tu te souviens de ce qu'ils m'ont dit avant de me quitter?

– ... Que tu pouvais toujours compter sur eux?

– Voilà! Et... ils sont revenus. Ils ont compris que j'avais toutes les misères du monde à convaincre un éditeur, surtout le mien; alors ils sont venus à ma rescousse.

– Et quand j'ai frappé à ta porte, ils ont... réintégré l'album?

– À ma demande, oui.

Déconcerté, je reste dans l'embrasure de la porte d'entrée, sans rien dire. Puis, pour satisfaire ma curiosité jusqu'au bout, j'ose demander:

– Tes personnages... ils... ils t'ont proposé une... une solution?

– Oui.

– Ah...

Je sens dans l'expression de John que cette solution n'a rien de banal.

– Mais, Jacques, cette fois, je ne peux rien te dire. C'est un secret... entre moi et mes enfants.

Pris de court par le ton paternaliste de John, je reste bouche bée et je serre la main qu'il me tend.

– Au revoir, Jacques.

– Au revoir, John.

Et comme mon ami n'insiste pas pour savoir si j'ai l'intention de publier un article sur ce qu'il m'a raconté durant toutes ces heures, je veux tout de même le rassurer un peu:

– Je... je te rappelle. Sans faute.

Compte sur moi.

John Ludvic me regarde d'un air qui traduit un étrange bien-être; comme si le fait de m'avoir conté tout cela (mis à part le secret bien gardé!) lui avait enlevé un poids énorme. Ou plutôt, comme si, grâce à moi, il était maintenant sûr de quelque chose...

– Merci, me dit-il, avec un sourire qui me tracasse plus que jamais, maintenant que j'y repense, assis devant ma tasse de café qui se remplit soudainement.

«Est-ce que je rêve?» Non. C'est bien la serveuse qui, sans que je lui aie demandé, me verse du café.

– Merci.

Son compagnon a disparu. Je comprends sa manigance lorsque je la vois se rasseoir dans le coin et entreprendre la lecture d'un photo-roman. Le message est clair: tiens, ton café! Puis, fiche-moi la paix!

«Déjà 5 h 50!»

Au fond, si je suis là, dans ce petit restaurant, c'est pour tenter d'y voir clair dans cette histoire qui m'agace au plus haut point. Toutes les autres raisons de ma présence en cet endroit, à cette heure tardive, ne seraient que des prétextes. Je le sais. Et je sais aussi pourquoi je me fais autant de mauvais sang. Je me connais. Quand je crois à une histoire, rien ne m'arrête. Je l'écris et je me bats sans merci jusqu'à ce qu'elle soit connue au grand jour.

Et cette histoire de mon ami John Ludvic, la plus inimaginable qui m'ait été contée de toute ma vie, je n'arrive pas à ne pas y croire.

Le malheur, c'est que je demeure convaincu que John croit dur comme fer que je vais le laisser tomber. Il ne m'en veut pas; je l'ai senti dans son regard. Pourtant, j'ai le sentiment d'avoir trahi sa confiance.

«Pourquoi ne pas au moins lui avoir dit le fin fond de ma pensée, au lieu de l'avoir quitté sans me compromettre?»

«Pourquoi ne pas lui avoir révélé que je croyais en son histoire mais que j'avais besoin d'un peu de recul, au lieu de laisser planer un doute dans son esprit?»

Je suis là à me faire des reproches quand je réalise ma stupidité.

«Arrête de te morfondre, Jacques, et va tout de suite lui parler! Il en a peut-être bien plus besoin que tu ne le penses.»

D'un bond, je me lève et lance à la serveuse:

– Sœur Sourire, bougez pas! Voilà cinq dollars. Gardez la monnaie.

Et je suis dehors.

La bruine me fait du bien.

Sans plus attendre, je file vers la maison de John Ludvic.

*   *   *

Mais qu'est-ce qui se passe?

Je m'adresse à des dames aux cheveux blancs, en robe de chambre, qui, en plein milieu de la rue, devant l'immeuble où habite John, regardent paniquées vers les étages supérieurs.

Ils sont des centaines entassés ainsi dans la rue. Deux camions de pompier sont stationnés devant l'immeuble. Mais il n'y a aucun signe d'incendie.

Une des dames me jette un coup

d'œil, puis me dit:

– Une explosion! Un feu! On ne sait pas trop.

– Ça a fait tout un vacarme, monsieur!

– Ça vient du 5e étage, on dirait.

À ces mots, je me sens violemment saisi par les épaules. Puis, un énorme bras m'emprisonne la tête avant même que je ne puisse faire un geste.

– C'est lui! C'est lui!

Je reconnais la voix. Je la reconnaîtrais parmi mille: celle du mastodonte-gardien-de-l'immeuble.

Les gens affolés se dispersent autour. J'entends des pas, puis des voix:

– Arrêtez! Arrêtez!

– C'est lui! C'est lui, que je vous dis!

Grâce au ciel, et plus encore aux policiers, je peux enfin respirer.

– C'est lui! Il a même voulu se faire passer pour un agent du FBI!

– Maudit! Voulez-vous bien me dire ce qui se passe?

J'avais le cou mal en point.

C'est alors que les deux agents

de police m'ordonnent de les suivre sur-le-champ.

En leur compagnie, je traverse la foule jusqu'à l'intérieur de l'immeuble; tous les gens en avaient été évacués et les policiers ne laissaient entrer personne. Le concierge essaya d'y pénétrer à la suite des policiers.

– Non! Pas vous!

– Mais...

– Pas de mais! Ce sont les ordres.

«Voilà comment il faut traiter cet air bête de mastodonte», je me dis tout bas en me massant le cou qui me faisait encore mal.

– Vous étiez cette nuit chez monsieur John Ludvic?

Un petit moustachu en habit, qui vient tout juste de sortir de l'ascenseur, m'interroge.

– Pourquoi? Il est arrivé quelque chose à John?

– Je suis l'inspecteur Harvey. Veuillez me suivre.

Alors que je prends l'ascenseur, accompagné de l'inspecteur, je remarque des pompiers qui sortent d'un autre ascenseur, aucunement pressés, leur travail terminé.

– Il y a eu une explosion? Chez John?

– Comment le savez-vous? Vous étiez sur place?

Le ton de l'inspecteur est méfiant.

– Non. Je viens tout juste d'arriver. C'est... c'est une dame dans la rue qui...

– Vous avez quitté monsieur Ludvic à quelle heure?

– Vers 4 h, dans la nuit.

– Et vous reveniez le voir à 6 h du matin?

– Est-ce qu'il est arrivé quelque chose de grave à John?

– Nous comptions justement sur vous pour nous le dire... monsieur?

– Saint-Martin! Jacques Saint-Martin.

Je n'ose plus rien dire. D'ailleurs, j'en suis incapable; à écouter l'inspecteur m'interroger, j'ai l'impression qu'il me prend pour un criminel. J'essaie de me maîtriser. Mais lorsque les portes de l'ascenseur s'ouvrent, j'ai le cœur qui cogne: la porte du 550 est défoncée.

Je suis l'inspecteur. Nous entrons dans l'appartement de John.

RIEN! aucune trace de violence, de sang, de bataille.

Je soupire d'aise.

Il n'en est pas de même pour l'inspecteur:

– Monsieur Saint-Martin, savez-vous où se trouve monsieur John Ludvic?

– Non. Mais qu'est-il arrivé?

– Mystère et boule de gomme, cher monsieur!

Et l'inspecteur me met au courant des faits: les gens de l'immeuble entendent un vacarme; plusieurs croient à l'explosion. Une luminosité, comme un éclair, jaillit de l'immeuble et illumine comme en plein jour celui d'en face. C'est la panique totale. L'alarme est déclenchée. Des gens dans la rue et de l'immeuble d'en face affirment que l'explosion vient d'un appartement du 5e étage. Certains jurent même avoir vu des silhouettes humaines par l'une des fenêtres; un fou hurle qu'il a reconnu des extra-terrestres. Certains hystériques (au dire des policiers!) ajoutent que depuis quelques jours, ils ont vu luire d'étranges lumières dans cet appartement. Les pompiers arrivent. Les policiers. Aucune flamme! Seule une lumière éclaire la fenêtre de l'appartement en question. Son propriétaire pourtant ne répond pas à l'appel. La porte est défoncée et...

Un interrupteur bloqué...

Des cœurs de pommes décomposés...

Rien d'anormal.

Sauf la disparition de John Ludvic.

«Quelle histoire!» je laisse échapper.

– Vous n'avez aucune idée, monsieur Saint-Martin, de ce qui a pu se passer ici?

«Le secret!» me dis-je.

– Pardon?

– Non, non, je n'ai rien dit.

– Vous n'avez pas répondu à ma question, monsieur Saint-Martin.

– Aucune idée.

– Au cours de votre visite, de vos discussions avec monsieur Ludvic, vous n'avez pas remarqué quelques détails spéciaux? Un comportement bizarre? Je ne sais pas, moi.

Je n'allais tout de même pas raconter à cet inspecteur toute l'histoire de mon ami John... J'aurais passé pour un fou à lier!

De toute sa carrière, cet inspecteur n'avait jamais rien vu de pareil: il n'arrivait pas à trouver une seule hypothèse. De nombreux témoins lui confirmaient un événement dont il ne restait aucune trace. Après une heure d'interrogatoire, il me demande de ne pas quitter la ville et de me tenir à sa disposition. Je suis le suspect numéro 1 mais de quoi, il ne sait pas. Je le sens dépassé par les événements.

– Qu'est-ce que c'est que ce grand livre?

L'inspecteur, de toute évidence, n'aime pas particulièrement la science-fiction.

– C'est un album géant avec trois personnages qu'a créés John Lud...

– Qu'est-ce qu'il y a? Vous ne vous sentez pas bien, monsieur Saint-Martin?

* * *

Le matin même, monsieur l'inspecteur émettait un mandat de recherche pour retrouver John Ludvic.

Deux ans ont passé et, bien sûr, aucune trace de John Ludvic.

Comme les autorités ne voulaient pas ébruiter l'affaire, ils ont tout mis en œuvre pour en faire un fait divers parmi tant d'autres. Jamais ils n'ont fourni d'explications à qui que ce soit. Ils ont loué l'appartement de mon ami John à une personne fictive. Par prévention, ils contrôlent les allées et venues du 550 depuis cette fameuse soirée.

– Toujours pas de nouvelle de votre ami?

– Non, monsieur l'inspecteur.

– Rien de plus à dire sur le cas?

– Non.

– Bon...

– Je peux l'emporter?

– Oui, si vous voulez. Mais je ne vois pas pourquoi vous vous encombrez d'une horreur pareille! Vraiment!

Avec l'aide d'un ami, je sors de l'entrepôt l'album géant de John; ils avaient confisqué et remisé tout ce qui appartenait à John. Des spécialistes avaient passé au peigne fin chacun des meubles jusqu'aux ustensiles, sans rien trouver, bien entendu.

J'avais demandé, en mémoire de mon ami, de conserver l'album géant; ce que l'inspecteur m'avait accordé sans difficulté.

Et maintenant que les spécialistes de la police avaient terminé leur travail, j'étais venu le récupérer.

J'attendais ce moment avec impatience depuis deux ans.

– Attention, Luc!

Nous montons l'album, avec précaution, à mon appartement situé au 2e étage.

– C'est bien lourd! Est-ce qu'ils sont vivants, ces personnages? lance mon coéquipier, à la blague.

* * *

Prenant une bière, face à l'album que Luc et moi venons d'installer dans mon bureau près de la bibliothèque, mon ami me demande:

– Qui sont ces personnages?

– Tu ne connais pas cette BD?

– Non.

– Ici, tu as Bénouk; là, Cirandel-la, et le plus grand, c'est Mercuron.

– Pauvre gars, il a le menton long!

– Je ne pense pas que ça le dérange. Si tu l'avais vu avant...

– Peux-tu bien me dire qu'est-ce qu'ils font dans un champ de fraises?

– Pour le savoir, je crois qu'il faudrait interroger l'homme derrière eux.

– Le petit homme chauve qui dessine, sur une table, au bout du champ?

– Oui. C'est lui... l'auteur.

Eh oui! Avant de nous quitter, John et ses personnages s'étaient fait un beau cadeau: une nouvelle couverture de leur nouvel album... leur nouvel univers!

Un cadeau que je conserverai toute ma vie.

Et qui sait si un jour...

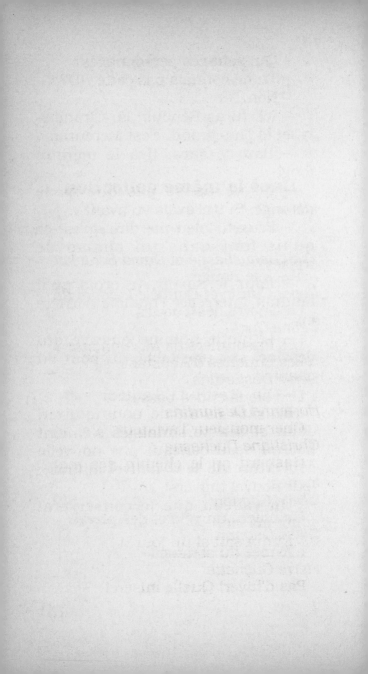

Dans la même collection

134

Achevé   Imprimerie
d'imprimer Gagné Ltée
au Canada Louiseville